SORCIÈRES
SORCIÈRES

1. Le mystère du jeteur de sorts

Gouvernement du Québec – Programme de crédit d'impôt
pour l'édition de livres – Gestion Sodec

Nous reconnaissons l'aide financière du gouvernement du Canada
par l'entremise du Fonds du livre du Canada pour nos activités d'édition.

Éditeurs : Marc-André Audet, Dimitri Kennes
info@lesmalins.ca

www.lesmalins.ca

Dépôt légal – Bibliothèque et Archives nationales du Québec, 2015
Dépôt légal – Bibliothèque et Archives Canada, 2015

ISBN 978-2-89657-302-8

Imprimé au Canada

Les éditions les Malins inc.
Montréal, QC

Un récit de Joris Chamblain
illustré par Lucile Thibaudier

SORCIÈRES SORCIERES

1. Le mystère du jeteur de sorts

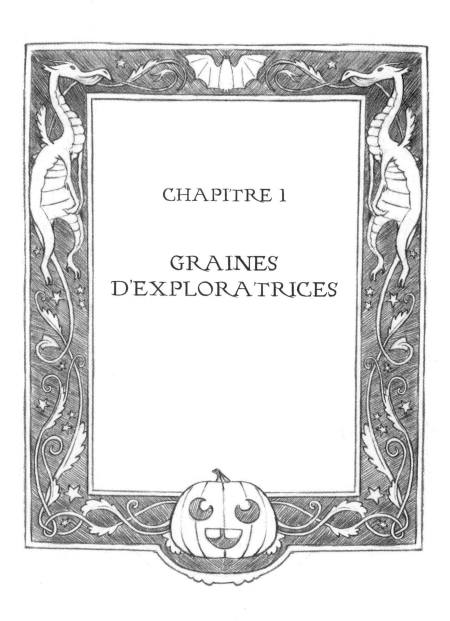

CHAPITRE 1

GRAINES
D'EXPLORATRICES

INI? Niniiii! Réveille-toi, murmura Miette à l'oreille de sa grande sœur en lui caressant délicatement la joue.

Harmonie ouvrit les yeux et sourit en recevant un baiser mouillé. Elle entoura Miette de ses bras et la serra contre elle.

— Bonjour, Miette! Tu as bien dormi?

— Oui! Et j'ai même pas fait de cauchemar!

Le soleil se levait à peine sur le village de Pamprelune. Les rayons qui filtraient entre les lattes des volets clos teintaient de reflets roses et or les murs de la chambre d'Harmonie. Les deux petites sorcières s'amusaient à observer les ombres colorées des arbres qui dansaient au plafond et à imaginer des tas de formes cachées dans les silhouettes en mouvement. Les lueurs du matin étaient magiques.

Puis Miette descendit du lit de sa grande sœur et se dirigea vers la porte.

— Tu viens, Nini? On va préparer le petit déjeuner pour faire une surprise à papa et maman!

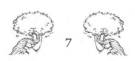

— Bonne idée ! Je m'habille et j'arrive ! lui répondit Harmonie avec enthousiasme.

Elle ouvrit doucement ses volets et inspira un grand coup, profitant du parfum sucré des parterres de fleurs et des arbres fruitiers qui entouraient la maison. Puis elle laissa son regard se perdre dans les couleurs de l'aube.

Le village avait été construit bien des années plus tôt, au cœur d'une vallée, non loin d'une épaisse forêt. Il bénéficiait ainsi d'une protection naturelle contre les vents glacés du nord qui soufflaient durant les longs matins d'hiver. Au printemps, les flancs des montagnes qui entouraient le village reflétaient les rayons du soleil et nappaient les rues et les maisons d'un voile de chaleur agréable. À cette heure-là, les tuiles en ardoise recouvrant les toits des maisons brillaient encore de la rosée matinale.

Dans un savant bruissement de feuillages, les arbres-sorciers aux abords des chemins déployaient leurs branches comme on ouvre la main, pour capter toute la lumière de l'astre du jour encore timide.

C'était un très beau dimanche qui s'annonçait.

Harmonie adorait commencer la journée avec les câlins de sa petite sœur. Parfois, alors qu'elle était déjà réveillée et occupée à lire un roman d'aventures ou à dessiner dans son grimoire, il lui arrivait de se précipiter sous sa couette et de faire semblant de dormir

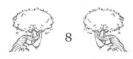

en entendant Miette dévaler l'escalier. Ainsi, elle était tout à fait sûre qu'elle aurait droit à son bisou du matin. C'était leur petit rituel secret qui leur réchauffait le cœur pour la journée.

Harmonie avait à peine quatre ans quand sa maman lui annonça qu'elle attendait un bébé.

Durant la grossesse d'Artémissia, Harmonie s'impatientait de voir arriver son petit frère ou sa petite sœur. Le soir, elle s'allongeait souvent contre sa maman et inventait des chansons pour l'enfant à venir. Artémissia guidait alors les mains de sa fille sur son ventre rond afin qu'elle puisse sentir les petits coups de pied que lui donnait le bébé au rythme des refrains.

Après plusieurs mois, Miette montra enfin le bout de son nez et Harmonie sut immédiatement qu'elle l'aimerait pour toute la vie. Elle adorait lui raconter des histoires, jouer aux poupées vaudous avec elle et construire des cabanes dans leur grande maison avec des coussins et des couvertures.

Harmonie était une petite fille calme et prévenante, toujours d'une grande douceur, dans la voix comme dans les gestes. Elle empêchait Miette de faire des bêtises, mais il lui arrivait quand même

de la gronder gentiment quand Miette était un peu trop entreprenante. Cette dernière la regardait alors avec ses grands yeux humides et Harmonie craquait à chaque fois, finissant par lui faire un gros câlin réconfortant.

Miette grandit. Alors qu'elle savait à peine marcher, elle suivait Harmonie partout où elle allait. Elle lui vouait une admiration sans faille et gardait les yeux grands ouverts pour capter chaque mouvement, chaque ondulation de ses cheveux. Elle devint une petite fille assez discrète et solitaire, préférant jouer avec sa grande sœur plutôt qu'avec les autres enfants de son âge.

Tibor et Artémissia, leurs parents, avaient été admiratifs de voir l'intense complicité qui s'était nouée entre leurs filles depuis la naissance de Miette. Chacune était la confidente de l'autre, sa meilleure amie, l'épaule sur laquelle se reposer en cas de difficulté. Elles s'aimaient comme seules deux sœurs peuvent s'aimer.

Elles avaient hérité de leur papa le goût de la découverte et de leur maman une vraie force de caractère et une chevelure quasi transparente, aux reflets bleutés pour Harmonie et mauves pour Miette. Une couleur de cheveux bien singulière, même dans un monde de sorciers et de sorcières. Mais cela faisait leur particularité et les rendait uniques.

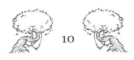

Harmonie quitta sa rêverie et rejoignit sa petite sœur qui s'affairait déjà dans la cuisine. Elle sortit sa baguette magique pour lancer quelques sorts afin de préparer le petit déjeuner.

Dans le village de Pamprelune, comme dans tous les autres villages de ce lointain pays, chaque habitant était un véritable sorcier ou une véritable sorcière, et tous pouvaient tisser des enchantements ou jeter des sorts. On étudiait la magie à l'école dans de vieux grimoires, on apprenait à dresser des dragons, on achetait ses fioles au marché suspendu de l'île aux Mille Lanternes et on sculptait sa propre baguette magique, celle qui nous suivrait toute notre vie, lors d'un rituel très codifié. Ici, chaque être humain avait des pouvoirs magiques.

Ou presque.

Car la magie se déclarait chez l'enfant vers sept ou huit ans à peu près. Plus jeune, il fallait faire preuve de patience et se nourrir de la magie de la terre avant d'apprendre à la manipuler.

Au grand désespoir de Miette qui, du haut de ses cinq ans et demi (elle avait l'âge où le demi est très important), désespérait d'avoir enfin des pouvoirs ! Elle cesserait ainsi de se faire embêter par

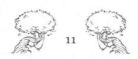

trois méchantes fillettes de son village de l'âge de sa grande sœur.

Elle pourrait également préparer le petit déjeuner de ses parents un peu plus vite.

Dans la cuisine, les ustensiles bougeaient tout seuls, répondant aux commandes d'Harmonie, qui agitait sa baguette au milieu de la pièce.

— Lokibou ! lança-t-elle.

Et une casserole se remplissait d'eau avant de se poser sur le poêle. Harmonie n'aurait plus qu'à y lancer un peu de thé pour le faire infuser. Mais pas plus de cinq minutes dans une eau à quatre-vingts degrés ! Sa maman était très pointilleuse sur le goût du thé.

Harmonie attrapa ensuite le gros pain de campagne que le boulanger avait déposé à l'aube sur le perron et que Norbert, le balai majordome, avait rapporté quelques instants plus tôt. Elle en coupa quelques belles tranches, respirant avec gourmandise le parfum chaud de la mie encore fumante. Miette, elle, aimait le son de la croûte qui craque.

— Pingriyé ! Pinbeuré ! renchérit Harmonie.

Les tranches de pain épaisses passèrent alors quelques secondes près du poêle et se dorèrent la croûte, puis un couteau étala sur leur mie une noisette de beurre pour en faire de belles tartines.

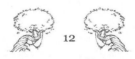

Assise sur sa chaise, Miette était fascinée par les pouvoirs de sa grande sœur. En badigeonnant sa tartine de confiture, elle soupirait en silence, envieuse.

— Mmmh! Mais ça sent très bon par ici! lança une grosse voix depuis le couloir.

— Papaaa! s'exclama Miette en accueillant Tibor par un gros câlin.

— Merci d'avoir préparé tout ça, mes princesses! dit Tibor à ses filles en les embrassant. C'est en quel honneur?

— C'est parce que c'est dimanche, mon papounet! Et maintenant, le dimanche, c'est nous qui préparerons le manger du matin! répondit Miette en souriant.

Artémissia arriva peu après et embrassa ses filles à son tour. Puis toute la petite famille s'installa autour de la table et entama le petit déjeuner. Artémissia fut ravie, le thé était parfait.

Après ce repas copieux, Tibor prépara un piquenique plein de gourmandises pour ses filles. Elles avaient prévu de passer la journée à jouer dans la clairière près du lac, aux abords de la forêt. Harmonie prétexta qu'elle comptait s'entraîner avec son nouveau balai volant, tandis que Miette inventa une histoire d'élevage de grenouilles auprès d'une petite mare qu'elle devait surveiller et entretenir.

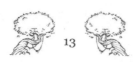

Elles échangèrent un clin d'œil, fières de n'avoir éveillé aucun soupçon de leurs parents, car la vérité était un peu différente…

Jusqu'à présent, le terrain de jeu favori de Miette et d'Harmonie avait été leur maison. Elles adoraient se perdre dans les couloirs et au sous-sol, ou encore embêter les familles de hiboux qui nichaient dans les combles. Là-haut, dans un vieux coffre, elles avaient retrouvé de très anciennes affaires appartenant à leur lointain ancêtre explorateur, Lucius Pampre. Elles s'étaient passionnées de toutes ses découvertes et Harmonie comme Miette avaient alors su qu'elles voulaient devenir exploratrices à leur tour. Mais en attendant que ce jour arrive, elles devraient d'abord longuement s'entraîner.

En préparant leurs affaires, elles étaient donc très impatientes de passer leur dimanche à jouer à leur jeu favori du moment. Mais il ne fallait pas le dire car leurs parents n'auraient sans doute pas vu d'un très bon œil que leurs deux petites filles s'enfoncent trop loin dans l'immense forêt de Pamprelune.

Harmonie enfourcha son nouveau moyen de loco-motion (les cours de vol en balai commençaient en primaire), Miette s'installa derrière elle et lui serra la taille comme il fallait. Elles quittèrent la maison après avoir promis à leurs parents de rentrer avant l'heure du dîner, et après avoir salué au passage Norbert, qui

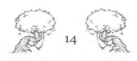

s'affairait déjà à faire disparaître les feuilles mortes venues s'échouer sur le perron.

Norbert regarda les deux petites sorcières s'éloigner dans le ciel, avec satisfaction. Pour pouvoir exercer son art en toute tranquillité, il avait besoin que les fillettes ne courent pas partout autour de lui. Heureusement, elles seraient absentes pour la journée. Il rentra donc dans la maison et commença son ménage en chantonnant.

Harmonie et Miette jouèrent ensemble toute la matinée au cœur des arbres millénaires, avant de s'installer pour dévorer leur pique-nique. Elles s'étaient enfoncées bien loin dans la forêt, puis avaient fait halte au milieu d'une clairière. Le lieu était ombragé et les parfums printaniers emplissaient l'air de fragrances colorées. Quelques mûres cueillies dans les ronces seraient parfaites pour le dessert.

Comme de véritables exploratrices, un gros livre dans la besace d'Harmonie et une belle boîte de crayons de couleur pour les illustrations de Miette, les deux petites sorcières s'amusaient depuis déjà quelque temps à cartographier la forêt, à en explorer chaque sentier, chaque recoin, à la manière de leur ancêtre Lucius Pampre.

Elles connaissaient de nombreuses légendes qui entouraient ces lieux et elles mettaient un point

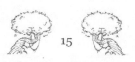

d'honneur à apprendre la forêt par cœur, pour ne jamais s'y perdre.

Elles avaient déjà découvert une cascade enchanteresse cernée par un tapis de mousse épaisse, des formations rocheuses étonnantes, des cercles de pierres sculptées, des arbres gigantesques aux racines profondes, aux troncs sculptés et aux branches entrelacées… Elles imaginaient parfois quels êtres de légende avaient pu vivre là avant d'abandonner ces lieux gorgés de magie.

Mais il y avait encore tant de merveilleux endroits à découvrir…

— Dis, Nini, tu crois qu'on trouvera des licornes un jour?

— Peut-être, Miette! Mais je n'ai pas encore reconnu leurs empreintes par terre. Nous avons croisé une famille de petits dragons et quelques cerfs, mais c'est tout. Peut-être un jour, quand nous atteindrons la montagne!

— C'est une grosse bêtise qu'on est en train de faire, pas vrai?

— Oui, un petit peu. Enfin, c'est un mensonge surtout, et ce n'est pas beau.

— C'est notre secret rien qu'à nous!

— Oui! Mais papa dit que la forêt est sans danger, de toute façon. Les animaux sentent la présence des

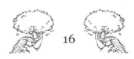

16

humains et préfèrent ne pas s'approcher. Il dit que les plus dangereux qui s'y promènent, c'est nous !

— Moi, je suis pas dangereuse. J'ai même pas de pouvoirs, dit Miette en se rasseyant et en faisant la moue.

— Ça viendra, Mimi. Ne t'inquiète pas.

Elles continuèrent leur exploration encore quelques heures, notant les nouvelles essences d'arbres qu'elles rencontraient, les sentiers oubliés et les nids de lucioles perchés dans les branches. Puis elles rejoignirent l'orée de la forêt aux abords du village, où plusieurs familles se délassaient dans l'herbe et jouaient autour d'un petit lac, en profitant elles aussi de cette fin d'après-midi ensoleillée.

Du coin de l'œil, elles aperçurent les trois copines toujours si méchantes avec Miette qui jouaient dans un coin. Harmonie préféra s'éloigner le plus possible d'elles avant de déposer sa petite sœur.

Miette, après avoir bien travaillé sur les dessins représentant les nouvelles découvertes du jour, s'installa au bord du lac et commença à jouer avec une grenouille. Au moins si ses parents la voyaient maintenant, ils croiraient à son histoire !

Harmonie préféra continuer à survoler la forêt à l'aide de son balai volant, sans vraiment s'éloigner de sa petite sœur. Elle observa depuis les hauteurs

les nouveaux chemins que Miette et elle pourraient emprunter lors des prochains jours d'exploration. La route était encore longue pour arriver au pied de la montagne et la forêt était un véritable labyrinthe…

Les trois petites sorcières d'environ dix ans, Rowena la rousse, Cassandre la brune et Mirabelle, une petite sorcière aux cheveux roses et aux épaisses lunettes, jouaient elles aussi depuis le début de l'après-midi à l'orée de la forêt, à embêter les petits garçons qui s'amusaient non loin d'elles.

Quelques instants plus tôt, elles avaient vu Miette et Harmonie revenir du cœur de la forêt. Harmonie avait déposé Miette avant de s'envoler, la laissant toute seule pour quelques minutes. L'occasion idéale pour s'amuser un peu avec elle, sans que sa grande sœur ne soit là pour la défendre…

Ces trois petites pestes étaient les meilleures amies du monde, ou du moins le prétendaient-elles. Car si Rowena jouait à la chef tyrannique, les autres enfants du village n'étaient pas idiots. Ils savaient bien qu'elles étaient dans une lutte constante pour

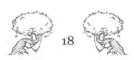

devenir chacune la chef du trio. Mais ça, Cassandre et Mirabelle n'oseraient jamais l'avouer !

Elles faisaient tout ensemble : les promenades dans le village, les emprunts à la bibliothèque, les courses au marché nocturne, mais surtout les pires bêtises possibles.

Ensemble, elles avaient déraciné toutes les fleurs carnivores du jardin de la vieille madame Chevêche, celle qu'on surnommait la vieille chouette, pour ensuite les revendre sur un petit stand au marché.

Avec l'argent, elles s'étaient acheté des sacs entiers de berlingots crache-feu et avaient eu mal au ventre trois jours durant.

Au lac du Dragon dormant, elles adoraient éclabousser les plus petits et pousser les plus grands.

À la bibliothèque, elles faisaient virevolter les livres et les déplaçaient d'un rayon à l'autre, riant discrètement quand un lecteur assidu s'étonnait de voir un livre de recettes de cuisine au milieu du rayon Histoire.

Elles prenaient également un malin plaisir à faire glisser sur la tête de la bibliothécaire les piles de « La Gazette de Pamprelune » entassées dans son dos. Elles réussissaient à faire tout cela sans jamais se faire prendre.

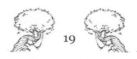

Chaque fois qu'on les voyait ensemble, on pouvait être sûr qu'elles préparaient un mauvais coup.

Une idée germa justement dans le cerveau de Cassandre. Elle réfléchit très vite, puis murmura son idée à l'oreille de ses copines, qui gloussèrent cruellement en imaginant la scène à venir. Rowena et Mirabelle partirent en courant se cacher, tandis que Cassandre sortit sa baguette et prononça une formule magique en traçant un cercle invisible au-dessus de son crâne.

— Troipticha! Troipticha!!

Et hop! Elle s'était transformée en une chatte fine et élancée, avec un pelage aussi noir que les cheveux de la fillette qu'elle était encore quelques instants plus tôt. Mais la formule qu'elle venait de prononcer était un peu spéciale : pour se débarrasser du sort et le transmettre à quelqu'un d'autre, il fallait toucher son copain ou sa copine en criant « Chat ! »

De quoi s'amuser pendant des heures.

Cassandre, désormais sur quatre pattes, bondit sur le tronc d'un arbre pour aller se percher sur une branche. De là-haut, elle aurait une meilleure vision.

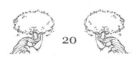

Les oiseaux posés là détalèrent à son arrivée, ignorant que le chat qui venait d'apparaître près d'eux ne leur ferait aucun mal. La proie qu'elle visait maintenant était bien plus grosse et plus rousse…

À l'orée de la forêt, Rowena guettait à droite et à gauche pour tenter de voir arriver l'attaque. Quand on joue à chat, le chat peut bondir de n'importe où ! Elle n'eut pas le temps d'entendre la branche frémir, que la chatte noire fondit sur son dos en la touchant mais sans sortir les griffes. Cassandre ne voulait pas faire mal à sa copine.

— Chat ! cria Cassandre avec enthousiasme.

Aussitôt Rowena se transforma en un gros chat roux à longues moustaches, tandis que Cassandre redevint dans la même seconde une jolie petite sorcière aux cheveux longs, portant à nouveau sa longue robe violette, ses grandes mitaines et ses grosses bottes. Le chat Rowena courut à son tour à la poursuite de Mirabelle, mais cette dernière l'entraîna dans une autre direction, celle prévue depuis le début du jeu.

Le gros chat roux, parti à toute vitesse, vira de bord et freina d'un coup à la hauteur de Miette qui jouait paisiblement près du petit lac, sans se soucier des affaires des trois grandes. Les adultes présents tout autour ne semblaient pas prêter plus d'attention que cela à leurs jeux d'enfants. Rowena bondit

alors sur le dos de Miette et lui transmit le sort par la même occasion.

— Chat !

Aussitôt, sans vraiment comprendre ce qui était en train de lui arriver, Miette se transforma en un adorable chaton au pelage mauve, de la couleur de ses cheveux, et aux grands yeux tristes, tandis que Rowena retrouva son apparence de petite sorcière rousse.

Désormais à peine plus haute que les grosses grenouilles buffles avec lesquelles elle jouait jusqu'à présent, Miette n'eut pas d'autre choix que de rentrer dans le jeu pour retrouver son apparence normale. Sans attendre, elle partit à la poursuite des petites sorcières qui couraient déjà dans tous les sens.

— C'est Miette, le chat !

— Tu m'attraperas pas-eu !!

Mais Miette, très vive sur ses petites pattes, parvint à rejoindre Mirabelle et lui sauta dans le dos en hurlant à son tour.

— Miaooooow !

— Oh, non ! s'écria Mirabelle en faisant mine d'être surprise.

Mais rien ne se passa.

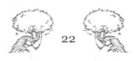

Miette retomba sur le sol en ayant gardé malgré elle son aspect de petit chaton à la truffe rose. Le problème était que pour se libérer d'un sort comme celui-là, il fallait avoir des pouvoirs magiques ! Mais Miette était encore trop jeune pour cela et les trois petites pestes le savaient bien. C'était leur sujet de moquerie favori.

Mirabelle se retourna vers le chaton et le pointa du doigt en riant.

Une fois encore, Miette venait d'être la victime d'une farce de la part des trois méchantes sorcières ! Cassandre et Rowena s'approchèrent à leur tour et toutes les trois se mirent à danser en ronde autour du chaton.

— Miette, elle a pas d'pouvoirs-eu ! Lalalère-eu !! chantèrent-elles en sautillant, tandis que Miette se mit à pleurer.

— MIAOUIIIIIIIIIIIIIIIINNNN !!

Les pleurs du chaton résonnèrent au-dessus des arbres à tel point qu'Harmonie, en vol non loin de là, les perçut soudain et reconnut ceux de sa petite sœur.

Elle se pencha en avant sur son balai volant et descendit à toute vitesse vers les abords du lac. Elle atterrit en plein milieu de la ronde dans un nuage de poussière, qui piqua les yeux des trois petites chipies.

— Miette! Qu'est-ce qu'elles t'ont encore fait?! s'exclama-t-elle sans vraiment attendre de réponse. Je vais arranger ça, ma chérie.

Elle saisit le chaton dans ses bras puis attrapa sa baguette.

— Troipticha! Montreutoi!

Elle traça un petit cercle invisible au-dessus de la tête du chaton, faisant apparaître le sort. Des symboles lumineux apparurent tout autour du petit animal, émettant une légère lueur rose.

— Troipticha! Pousstoidlà!

Elle attrapa le bout du sortilège et leva d'un coup le bras, comme pour enlever un voile qui cacherait un objet secret. Et hop! Miette retrouva aussitôt son apparence de petite sorcière.

— C'est pas juste! Je ne jouais même pas avec eeeeeelles! sanglota la pauvre Miette.

— Calme-toi. C'est fini, maintenant. Allez viens, on rentre à la maison.

Miette enfourcha le balai derrière Harmonie. Cette dernière se retourna vers les trois fillettes de sa classe qui se frottaient encore les yeux.

— Ce n'est pas gentil de se moquer tout le temps de ma petite sœur parce qu'elle n'a pas de pouvoirs.

Elle ne vous a rien fait ! Pourquoi vous vous en prenez toujours à elle comme ça ?!

Elle fit une petite pause pour reprendre son souffle. Elle était vraiment très en colère.

— La prochaine fois, je vous transformerai en grosses citrouilles pourries !! hurla-t-elle de toutes ses forces.

— Na ! ponctua Miette en leur tirant la langue.

Puis les deux sœurs s'envolèrent en direction de la maison.

Les trois petites sorcières restées au sol échangèrent des regards inquiets.

— Vous y croyez à cette histoire de citrouille pourrie, vous ? interrogea Rowena en cachant son inquiétude.

— Peuh ! Harmonie ne me fait pas peur, lui répondit Cassandre qui voulait garder la face devant la chef du groupe.

— Et puis Miette, ce n'est rien qu'un bébé qui ne sait pas se défendre ! conclut Mirabelle plus angoissée qu'elle ne l'aurait voulu.

L'heure du dîner approchant, elles se quittèrent sur ces mots et reprirent chacune le chemin de leur maison. Une fois arrivées chez elles, elles frissonnèrent en repensant aux menaces d'Harmonie. Une

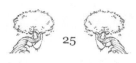

citrouille pourrie, ce n'était pas rien! Elles n'avaient pas du tout envie de ressembler à ça!

Mais elles étaient malgré tout satisfaites d'avoir une nouvelle fois réussi à embêter Miette. Il allait être temps de réfléchir à une nouvelle farce…

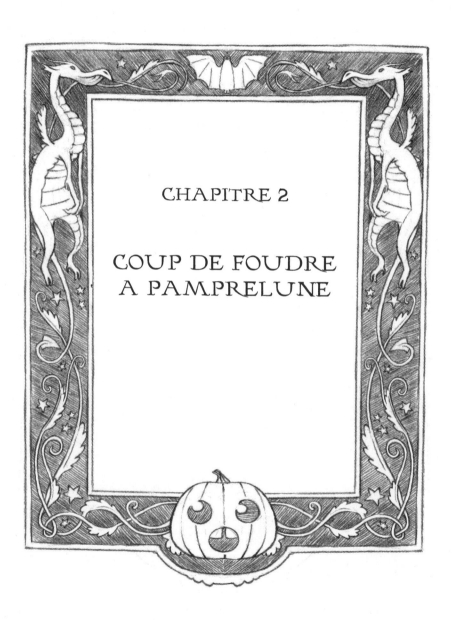

CHAPITRE 2

COUP DE FOUDRE
A PAMPRELUNE

 ORBERT était un balai enchanté comme en possédaient pratiquement toutes les familles du village.

Il avait été accueilli dans la maison de Tibor et Artémissia une dizaine d'années plus tôt, avant même la naissance d'Harmonie. Il était nourri, logé, bénéficiait de quelques jours de congés pour flâner, et avait fini par être considéré comme un véritable membre de la famille. En plus de ses tâches ménagères, on lui demandait son avis en matière de décoration ou d'aménagement et cela l'emplissait de fierté.

Très volontaire, il avait toujours fait son travail avec sérieux et efficacité. Il aimait le sentiment du devoir accompli à la fin d'une journée à frotter chaque parcelle de la grande maison et ne vivait que pour servir.

Il nettoyait tous les sols, passait le plumeau dans le moindre interstice, connaissait tous les recoins secrets où les araignées aimaient à tisser leurs toiles et chassait hors de la maison les moutons de poussière qui osaient s'accumuler sous les meubles.

Sa seule faiblesse était sans doute une fâcheuse tendance à ne pas toujours refermer les portes derrière lui. Mais on la lui pardonnait facilement car le travail était bien fait.

Et il en avait du travail, tant la maison était grande et les pièces nombreuses ! Car en plus des habituels salon, cuisine, salle de bain et autres chambres à coucher, la maison comptait également une grande réserve, un atelier au sous-sol courant sous toute la maison, une tour imposante et des combles envahis par les hiboux. C'était une maison très ancienne, qui avait connu de nombreuses vies et de nombreux locataires.

À Pamprelune, on disait d'ailleurs que chaque maison avait une âme. Celle-ci ne faisait pas exception. Norbert pouvait réciter chacune des histoires que l'on racontait à son propos et ce, depuis son origine…

Située en plein cœur du village, la maison appartenait à une grande famille qui se la transmettait de génération en génération. Elle était aujourd'hui occupée par le descendant actuel de cette longue lignée, Tibor et toute sa famille : sa femme Artémissia et leurs deux filles de cinq ans et demi et dix ans, Miette et Harmonie.

L'homme qui l'avait fait construire se nommait Lucius Pampre. C'était un grand explorateur et un

cartographe hors pair. Il participa activement à l'éla-
boration de cartes du monde très précises, utilisées
encore aujourd'hui dans les manuels scolaires de
sorcellerie.

Malgré son tempérament de voyageur et son
amour pour les horizons lointains, Lucius était un
homme un peu farfelu qui aimait sa maison par-
dessus tout. À tel point qu'au début de ses voyages,
il avait toujours du mal à s'en éloigner. Il avait donc
eu l'idée saugrenue de la monter sur pattes et de la
motoriser, afin de pouvoir voyager à son bord sur
des milliers de kilomètres. On racontait même que
pour franchir les océans, la maison avait autrefois été
capable de flotter et de voler !

Aujourd'hui encore, les cloisons de la maison
regorgeaient de rouages et de mécanismes compliqués afin de la faire avancer, mais plus personne dans
la famille ne savait comment cela fonctionnait.

Norbert était très fier d'avoir été enchanté pour
remplir la noble mission qu'on lui avait confiée.
Comme chacun des membres de la famille, il avait
beaucoup de respect pour l'histoire de cette demeure
et il mettait un point d'honneur à l'entretenir du
mieux qu'il le pouvait, afin qu'elle continue à exister
pour de nombreuses années encore.

Si la maison traversait ainsi l'histoire, c'était en
partie grâce à lui, et peut-être un jour les lointains

descendants de Lucius, Tibor et les autres, raconteraient quel formidable balai majordome avait arpenté les couloirs de cette grande demeure.

Il restait encore beaucoup à faire avant que la maison ne soit parfaite et Norbert continuait son ménage en sifflotant. Un peu distrait, il imaginait dans un futur lointain une statue à sa gloire dressée devant l'entrée, le représentant comme le plus fidèle serviteur ayant foulé cette terre.

Il dépoussiérait les bocaux du garde-manger quand un bruit de frottement assez lointain le sortit de sa rêverie.

Aucun doute possible, son ouïe ne le trompait jamais : il s'agissait du son mélodieux d'un balai en plein ménage ! Mais la sonorité lui était inconnue et le frottement paraissait peu enthousiaste. Triste même, pensa-t-il. D'où cela pouvait-il bien venir ?

Intrigué, il lâcha son plumeau et quitta la réserve en laissant la porte entrebâillée, pour se rendre sur le pas de la porte d'entrée. De là, il devina que le son provenait de l'autre côté de la rue. Mais les hautes haies qui entouraient la maison et le portail d'entrée fermé ne lui permettaient pas d'en voir plus.

Il descendit donc les quelques marches et se dirigea vers le portillon auprès duquel Arthur, la citrouille boîte aux lettres, était posé sur un muret.

En effet, à Pamprelune comme dans les villages alentour, toutes les boîtes aux lettres étaient en réalité des citrouilles animées. Par un astucieux sortilège qui les reliait entre elles et par un système d'allumage de bougie, les habitants pouvaient s'envoyer des courriers sans faire appel à des oiseaux coursiers ou autres fantaisies.

— Bonjour, Norbert ! lança le gros légume orange du haut de sa petite tour. Tu veux envoyer du courrier ? Ou peut-être viens-tu admirer le coucher de soleil ?

— Ni l'un ni l'autre ! lui répondit le balai majordome. J'ai entendu le son d'un balai que je ne connaissais pas, j'étais juste curieux d'en connaître l'origine.

— Oh ! Alors, je sais ce qui pourrait t'aider.

Arthur se pencha légèrement vers le portillon et enroula l'une de ses tiges autour de la poignée. Puis il tira dessus d'un petit coup sec et le portillon s'entrouvrit, permettant ainsi à Norbert de voir ce qui se tramait en face de chez lui. Le balai se pencha dans l'entrebâillement du portillon et se figea soudain, bouche bée.

Au pied de l'immense manoir d'en face, une splendide balayette aux grands cils et aux poils de brosse soyeux, dépoussiérait l'entrée, empreint d'une grande tristesse. Se sentant observée, cette dame balai leva les yeux et aperçut le balai majordome d'en face, ainsi que la citrouille boîte aux lettres qui la fixaient tous les deux.

Les regards des deux balais se croisèrent un instant, puis la dame balai se détourna avant de disparaître à l'angle du porche pour continuer sa tâche tout autour du manoir. Pour Norbert, ce fut le coup de foudre immédiat !

Troublé par le charme divin de cette dame balai qu'il n'avait aperçue que trop brièvement, il resta interdit un moment, le regard dans le vide. Puis Arthur se manifesta en secouant ses branches et Norbert revint dans la réalité. Il tourna les talons et se dirigea vers la maison en traînant sa brosse pour remplir le reste de sa mission, ému par l'amour qu'il ressentait.

Cela faisait des années que le manoir d'en face avait été abandonné. À peu près au moment de la naissance de Miette, calcula mentalement Norbert. Et il avait fallu attendre toutes ces années pour qu'il y ait à nouveau de l'activité là-bas.

Il déplaça le loquet de la cage des chauves-souris, voulant la nettoyer, en oubliant complètement qu'il

fallait d'abord la couvrir d'un drap sombre avant de l'ouvrir.

Catastrophe !

Les chauves-souris s'échappèrent, faisant basculer Norbert en arrière. Elles foncèrent droit sur le garde-manger resté ouvert et attrapèrent tout ce qu'elles pouvaient avant de fuir par la porte d'entrée entrouverte elle aussi. Norbert se releva d'un bond, essayant de la fermer, mais trop tard : la nuée de chauve-souris s'échappait déjà de la maison. Elles formaient comme un petit nuage noir se déplaçant très vite dans le ciel, qui se constellait déjà de petites étoiles.

Artémissia était institutrice à l'école primaire où étudiait Harmonie, mais elle était également la directrice de l'établissement. Cela lui conférait des responsabilités supplémentaires et parfois lui demandait de participer à des réunions interminables, comme elle en avait vécu une la veille.

Elle était justement en train de terminer de corriger des copies en retard quand elle entendit un drôle de remue-ménage à l'autre bout de la maison. Elle quitta précipitamment son bureau en bousculant au passage sa pile de copies, qui se répandirent par terre.

Arrivée dans le couloir, elle eut juste le temps de voir les dernières chauves-souris quitter la maison par la porte d'entrée restée grande ouverte.

— C'est pas vrai ! La réserve !! hurla Artémissia.

— Je… Je suis désolé, maîtresse !

— Tu ne sais plus faire le ménage ? Mais qu'est-ce qu'il t'a pris, enfin ?!

— Une… une distraction passagère ! Je suis vraiment désolé !

Norbert ne savait pas quoi dire pour se faire pardonner. Les amours d'un balai n'intéresseraient sûrement pas la maman de Miette et d'Harmonie. Il préféra donc s'affairer à réparer comme il le pouvait les dégâts qu'il venait de provoquer.

Une centaine de mètres plus loin, les chauves-souris croisèrent Miette et Harmonie en plein vol qui rentraient à la maison.

Après avoir séché ses pleurs et fini de sangloter, Miette se pencha sur sa grande sœur qui dirigeait le balai volant.

— Dis, Nini, c'est vrai que tu vas les transformer en grosses citrouilles pourrites, Mirabelle et tout et tout ?

36

— Mais non, Miette. C'était pour leur faire peur. J'ai dit ça parce que papa est en train d'inventer une nouvelle formule pour transformer des choses en citrouilles. Et on dit « pourries », pas « pourrites ».

— Ça sert à quoi de transformer des choses en citrouilles ?

— Je ne sais pas. Il faudrait demander à papa !

Harmonie se pencha en avant sur son balai volant et le dirigea jusqu'à l'entrée de la maison devant laquelle elles se posèrent doucement. Arthur leur fit un large sourire en les voyant arriver.

— Et voilà, Miette, nous sommes arrivées ! Merci d'avoir choisi Nini Airlines ! lança gaiement Harmonie.

— Hi ! Hi ! Hi !

— Bonsoir, Harmonie ! Bonsoir, Miette ! dit Arthur en agitant avec frénésie l'une de ses feuilles en guise de salut.

— Coucou, Tutur !! lui répondit Miette.

— Salut, Arthur ! Du courrier pour nous ? interrogea Harmonie.

— Non, rien du tout. Par contre, faites attention car votre maman est de mauvaise humeur ce soir.

— Ah bon, pourquoi ?

Arthur n'eut même pas le temps de répondre. Les cris de la maman qui chassait Norbert de la maison le firent pour lui.

— Allez, ouste ! Du balai ! Je ne veux plus te voir ici ! lança Artémissia.

— Que se passe-t-il ? demanda Harmonie, tandis que Norbert venait se protéger derrière elle.

— Cet empoté ne ferme ni les portes ni les cages ! Résultat : les chauves-souris se sont fait un malin plaisir de piller la réserve et de fuir la maison avec la nourriture. Elles ont même volé l'ail, vous vous rendez compte ?! Il reste à peine de quoi faire à manger ce soir et nous allons devoir refaire des courses demain. Ça vaut le coup de faire des réserves, tiens !

— Mais… je ne l'ai pas fait exprès, répondit Norbert d'une petite voix suppliante.

— Encore heureux, ironisa Artémissia qui commençait déjà à se calmer.

— Je promets de faire attention, maîtresse.

— Hum… Bon, ça ira pour cette fois. Retourne dans la maison et dépêche-toi donc de finir les poussières !

— Chef, oui chef !

Norbert se redressa pour achever son travail, non sans se retourner une dernière fois vers le manoir

d'en face. Il eut le temps d'apercevoir la dame balai qui finissait de faire le ménage sur le perron. La porte d'entrée s'entrouvrit dans le dos de la demoiselle et une silhouette imposante se découpa dans la pénombre de la pièce.

— Rentre tout de suite ! Du ménage t'attend à l'intérieur, dit l'ombre avec une voix menaçante.

— À vos ordres, répondit la dame balai en tremblotant, la tête basse.

Elle disparut à l'intérieur du manoir et Norbert regagna la maison.

Miette rejoignit sa mère pour lui faire un petit câlin. Artémissia la prit dans ses bras et lui colla un tendre baiser sur la joue avant de la reposer au sol et de fermer la porte.

— C'est l'heure de se laver les mains, mesdemoiselles. Nous allons passer à table.

— Qu'est-ce qu'on mange, maman ? interrogea Miette.

— Une tarte aux potimarrons rieurs ! C'est tout ce que les chauves-souris n'ont pas réussi à emporter !

— Super !!

Miette adorait ce légume et son goût sucré si particulier. Sa maman le préparait comme personne. Elle le découpait en fines lamelles et les faisaient revenir

dans un peu de beurre. Les frémissements de cuisson provoquaient alors un bruit étonnant, proche d'un rire hystérique. Cela amusait beaucoup Miette qui se mettait à rire avec le légume.

— Voulez-vous bien appeler votre père, s'il vous plaît ? demanda Artémissia.

— C'est ton tour aujourd'hui, Miette ! dit Harmonie en raccrochant son balai sur son socle dans l'entrée.

— Ouaiiiiis ! s'exclama Miette.

Miette s'approcha d'un angle du petit couloir où plusieurs tuyaux recouverts d'un petit clapet sortaient du mur. Miette souleva l'un des clapets et parla dans le tuyau.

Quand Miette devait avoir deux ou trois ans, leur papa leur avait expliqué l'origine de ces drôles de tubes qui couraient dans leurs murs et par lesquels on pouvait se parler d'une pièce à l'autre.

Il leur conta que son grand-père Alban Pampre, lui-même petit-fils de Lucius Pampre l'explorateur et astronome, était un parfait mélomane. Alban adorait la musique par-dessus tout et disait que c'était cela le vrai pouvoir magique des hommes : savoir

accommoder les notes à la perfection pour en faire de somptueuses mélodies.

Le vieil homme était très riche et assez excentrique. Un jour, il croisa la route d'un orchestre d'une trentaine de musiciens qui cherchaient une salle insonorisée pour répéter. Il les engagea et les installa dans le sous-sol où ils purent répéter leur musique sans gêner le voisinage.

Le vieil Alban tenait à pouvoir écouter cette musique dans chacune des pièces de sa maison et à n'importe quel moment de la journée ou de la nuit. Il fit donc installer ces tubes et il lança un appel à tous les musiciens des villages alentour, afin qu'ils viennent jouer chez lui.

De nombreux candidats, venus de très loin parfois, se bousculèrent pour accepter cette offre très généreuse. Ils formèrent des quatuors, des quintets, qui se relayaient jour et nuit pour ne jamais tomber de fatigue. Quatre groupes se relayaient dans la journée et trois autres la nuit, et la musique ne s'arrêtait jamais.

Alban mourut quelques années plus tard et au village, on parle encore de l'orchestre qui joua plus d'une semaine d'affilée lors de ses funérailles.

En s'installant dans cette maison, après en avoir hérité, le papa des petites sorcières avait réaménagé le sous-sol en un vaste laboratoire de recherche.

Il avait réuni les quelques partitions abandonnées là, et les conservait précieusement, comme les derniers souvenirs de la vie de son étonnant grand-père.

— Papa ? Papaaaa ! À taaaable !

Le son de sa voix résonna et rebondit dans le tuyau en métal. Il voyagea jusqu'au sous-sol, avant de sortir par la petite écoutille ouverte à l'autre bout.

Tibor, en plein travail, entendit la voix de sa fille l'appeler. Il s'approcha à son tour du tubapapote en souriant.

— J'arrive, ma puce ! annonça-t-il.

De la même manière, sa voix résonna dans le tuyau et remonta jusqu'aux oreilles de Miette, dans la pièce au-dessus. Tibor rangea son bureau pour la soirée et prépara ses ingrédients pour le travail du soir, car il n'avait pas encore terminé.

Il était membre de la Grande Académie des Sorciers et son travail consistait à inventer de nouveaux sorts plus efficaces et durables, et sa dernière mission lui avait pris plus de temps que prévu. Il avait donc passé toute la journée au sous-sol à s'affairer.

Il avait besoin de beaucoup de place, d'un matériel sophistiqué, de nombreux ouvrages sur la magie

et les sortilèges et d'un éclairage tamisé et agréable. Bref, de conditions de travail idéales à la création.

Parfois, il arrivait que ses expériences tournent mal. Elles pouvaient se solder par une explosion, par la projection de mousse de toutes les couleurs sur les murs, ou encore par la transformation de son bureau en un gros bloc de guimauve. Par prudence, il avait donc décidé de travailler dans un endroit un peu isolé pour éviter que sa famille ne subisse ses tentatives ratées.

— Mmrh! Je suis fatigué! J'aurais besoin d'un gros câlin pour me remettre d'aplomb! lança le papa en s'étirant, alors qu'il venait tout juste d'apparaître en haut des escaliers.

— Papaaa! dit Harmonie.

— Papouu! dit Miette.

Les deux petites sorcières lui sautèrent dessus en l'enserrant et le couvrirent de bisous.

— Eyh! Doucement, mes chipies! Alors, ça a été cette journée en forêt? Vous vous êtes bien amusées?

— Les grandes, elles font rien qu'à se moquer de moi parce que je n'ai pas de pouvoirs, dit Miette en faisant à nouveau la moue.

— Elles l'ont transformée en chaton cette fois, ajouta Harmonie avec une pointe de colère.

— C'est fatigant qu'elles s'en prennent toujours à toi, comme ça. Elles mériteraient une bonne correction ! gronda Tibor.

Toute la petite famille s'installa ensuite à table pour le dîner et les parents lancèrent quelques sortilèges.

— Alofrèche !

— Pardetarte !

— Joligato !

Tout autour d'eux, les ustensiles enchantés s'agitaient dans tous les sens pour remplir les assiettes, débarrasser l'entrée, découper le pain…

Quand Artémissia avait préparé la tarte aux potimarrons rieurs, Miette avait à peine souri au son étonnant de la cuisson, trop contrariée par les événements de l'après-midi. Harmonie rapporta les faits à sa maman et cette dernière en fut vraiment désolée pour sa petite fille.

— Je ne les comprends pas, dit Artémissia. À l'école, elles font partie des très bonnes élèves, même si nous les soupçonnons de nombreux méfaits encore inexpliqués… Mais dès qu'elles franchissent la grille, ce sont de vilaines chipies. Un jour, j'aimerais vraiment comprendre pourquoi elles s'en prennent à

Miette ! Il doit bien y avoir une raison ! J'irai parler à leurs parents demain matin à l'école.

— Moi, je veux des pouvoirs magiques pour qu'elles arrêtent de m'embêter, répondit Miette un peu triste.

— Tu es encore un peu jeune pour ça, ma chérie, dit son père avec une voix rassurante. La magie, ça vient avec le temps. Mais promis, demain on essaiera ensemble après l'école.

— D'accord, papa, conclut Miette peu convaincue.

Tibor sortit sa baguette magique et traça un étrange dessin dans le vide.

— Doudoutoudou !

Hop !

Une jolie petite peluche de hibou violet apparut sous les yeux ébahis de Miette.

— Regarde qui est venu pour te consoler, ma princesse !

— Wouaaah ! Merci, mon papou ! (Miette attrapa la peluche et la brandit fièrement à sa maman.) Tu as vu mon hibou, mimoune ? Il est trop mignon ! Je vais l'appeler Boubou !!

— En effet ! Il est rigolo ! Allez, finis d'abord ton assiette et va te brosser les dents. Il va être l'heure d'aller dormir.

Les deux fillettes rejoignirent la salle de bain pour se préparer pour la nuit. En se brossant les dents, elles s'amusèrent toutes les deux à se faire des grimaces dans le miroir.

Ensuite, Harmonie aida Miette à prendre son bain en lui frottant bien le dos. Elles inventèrent ensemble des formes rigolotes avec toute la mousse qui flottait à la surface de l'eau. Harmonie sculpta un drôle de chapeau à cornes qu'elle posa sur la tête de Miette et lui fit même une barbe toute blanche.

Une fois sorties du bain, elles enfilèrent leur pyjama et Miette chaussa sa belle paire de chaussons tout doux avec une belle tête de dragon bleu au bout.

Elles étaient désormais bien équipées pour la nuit.

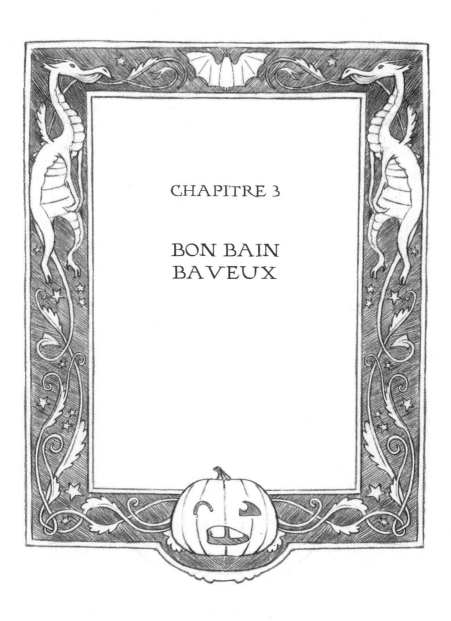

CHAPITRE 3

BON BAIN
BAVEUX

ANDIS que Miette et Harmonie se souhaitaient bonne nuit en sortant de la salle de bain, Norbert se trouvait dans la chambre de Miette, la pièce la plus haute de la maison.

Il avait l'esprit occupé par l'image de la dame balai à l'air si triste qui vivait en face et il avait du mal à se concentrer sur sa tâche. Il tenta de se ressaisir.

— Allez, mon p'tit Norbert! On se reprend. On oublie cette jolie dame et on fait les poussières de haut en bas! Hop!

Il ne lui restait plus qu'à dépoussiérer le tuba-papote reliant la chambre de la fillette à l'atelier du papa au sous-sol et le tour serait joué, il pourrait se reposer. Il réunit les derniers moutons de poussière restant dans la pièce en un petit tas central et entreprit de les jeter par le balcon. C'était plus simple que de les amener jusqu'à la poubelle de la cuisine. Mais c'était surtout un prétexte pour voir dehors…

Il ouvrit la porte-fenêtre donnant sur le balcon et commença à pousser par-dessus bord sa récolte, quand la voix forte et effrayante qu'il avait entendue un peu plus tôt dans l'après-midi s'éleva à nouveau du manoir d'en face.

— Qu'est-ce que tu fais là?? rugit la grosse voix. À la cave, et que ça saute! Le ménage ne va pas se faire tout seul!!

En se penchant, Norbert put voir la dame balai sur l'un des balcons du manoir au premier étage. Elle eut à peine le temps de lever la tête vers lui, jetant un regard de détresse, quand l'ombre la saisit par le col et l'entraîna d'un geste à l'intérieur, la faisant hurler de peur.

La porte du balcon se referma aussitôt et l'on entendit des grondements sourds et des meubles bouger dans tous les sens de l'autre côté du volet. Norbert ne savait pas qui était ce tyran, mais il était déterminé à lui arracher cette dame balai des mains!

— Une demoiselle retenue prisonnière! Elle m'a supplié du regard! Je dois faire quelque chose! lança soudain Norbert en bombant fièrement la brosse.

Il se dirigea d'un pas décidé vers le clapet du tuba-papote, l'ouvrit en grand et se lança dans un monologue digne d'un acteur de théâtre.

— Pauvre demoiselle en détresse… N'ayez crainte, mon aimée! Je viendrai vous délivrer des griffes de ce démon!

Il s'engouffra brosse la première dans le tube et disparut. Sa voix résonna dans toute la tuyauterie. Dans sa chute, il se cogna dans chaque angle, rebondissant sur chaque paroi, attrapant toutes les poussières sur son passage.

— Je me faufilerai ainsi par la cheminée! Hop! Bling! Blong! J'apparaîtrai tel un chevalier noir, car je serai couvert de suie! Boing! Aïe! Je défierai ce tyran! Clong! Poiing! Ouille! Et je le chasserai hors de ce manoir! Plop!

Et Norbert réapparut quelques mètres plus bas, en plein milieu du sous-sol, couvert du manche à la brosse de toiles d'araignée, de nuages de poussière et de diverses peaux de lézard. Puis il repensa à l'ombre mystérieuse qui hantait ce manoir et à sa force qui semblait prodigieuse.

— Un tyran qui a l'air beaucoup plus costaud que moi, cela dit…

Norbert s'assit au pied de l'escalier et soupira à nouveau en pensant tristement au sort de sa dulcinée…

Juste au-dessus de lui, dans le couloir de l'entrée, Miette était toute contente de présenter sa maison à Boubou, sa nouvelle peluche.

— Tu vas voir, Boubou, j'ai une chambre tout pareil que celle d'une princesse : elle est tout en haut d'un donjon et gardée par un gros dragon méchant qui fait « Grooooaaarr ! »

Pour comprendre l'origine de la tour de Miette, il faut revenir une fois de plus à l'incroyable vie de son ancêtre Lucius Pampre.

Un jour, las de sa vie d'aventures et de découvertes, Lucius Pampre s'était arrêté dans une vallée aux abords d'une forêt luxuriante pour y élire domicile et ne plus bouger.

Cette vallée à la lumière si particulière avait fait naître en lui une nouvelle passion : l'astronomie. Pour observer les étoiles, il avait alors fait construire une grande tour sur le côté droit de la maison et y avait installé un énorme télescope. Il pouvait observer le ciel pendant des heures en oubliant même d'aller dormir.

De ses observations, il avait pu établir de nombreuses cartes du ciel, nommant les constellations à sa guise. Des cartes que Tibor gardait encore précieusement dans son atelier comme des souvenirs de son lointain ancêtre. Le télescope, quant à lui, avait disparu.

Par la suite, d'autres maisons vinrent s'installer tout autour de celle de Lucius. On construisit une mairie puis une école, des routes, un théâtre et le village naquit peu à peu. Tout le monde appelait le vieil astronome « Pampre-Lune », car il avait le regard constamment tourné vers les étoiles. Aussi, à la mort du vieil homme et doyen du village, on décida de lui rendre un dernier hommage en baptisant le village de son surnom : Pamprelune.

Miette s'approcha de l'entrée de sa tour où une masse imposante semblait guetter dans l'ombre. Soudain, l'ombre se redressa et se jeta sur la fillette qui serrait fort sa peluche contre elle. Elle fut surprise par l'attaque et manqua de tomber en arrière, mais elle parvint à retrouver l'équilibre et enserra la bête.

— Youkiii! Mon dragounet joli! Allez, fais un câlin!!!

— Groumpf! fit le petit dragon tout rond en câlinant sa maîtresse préférée et sa peluche.

Youki était un dragon tout rouge et un peu grassouillet, avec deux petites ailes sur le dos et une longue queue qui se finissait en pointe de flèche. Il vouait une passion « dévorante » pour les peluches de Miette. De temps en temps, il montait discrètement dans la chambre de la fillette, poussait du museau la porte laissée ouverte et allait choisir une peluche dans le coffre à jouets de l'enfant pour aller la mâchouiller tranquillement dans son panier. Du coup, bon nombre des peluches de Miette étaient rapiécées, recousues, réparées. Avoir un petit dragon à la maison, ce n'était pas tous les jours facile ! Mais Youki restait un compagnon fidèle et très affectueux.

Miette se libéra de l'étreinte de son dragon et Youki en profita pour attraper la tête de la peluche Boubou en commençant déjà à la mâcher.

— Hé ! Gros nigaud ! T'as pas le droit ! C'est MA peluche, s'écria la petite sorcière.

— Gnap ! Chomp chomp ! faisait déjà le gros Youki en grignotant l'œil droit de la peluche.

Miette parvint finalement à retirer sa peluche des crocs du gros dragon. Avec son œil-bouton arraché et sa bourre qui dépassait de la couture ouverte, elle ressemblait déjà un peu plus à toutes ses autres peluches.

— Beurk ! Boubou est tout dégoulinant, maintenant !

Le papa de Miette rejoignit sa fille, décrocha la torche qui se trouvait à l'entrée de l'escalier de la tour et demanda à Youki de bien vouloir l'aider à

l'allumer. Le courant n'était pas encore installé dans la sombre tour.

Vrouf!

Youki cracha une petite flammèche et la torche prit feu instantanément.

— Merci, Youki.

Avec cette lumière dans les mains, Tibor éclaira l'escalier pour guider sa fille vers sa chambre.

— Attention, Miette! Norbert vient de nettoyer les marches. Elles glissent un peu!

— D'accord, papou. Dis, tu as vu? Boubou aussi, il a pris son bain avant d'aller au lit!

— Un bain à la bave de dragon? s'étonna le papa. C'est dégoûtant!!

Et tous les deux rirent de bon cœur.

Ils arrivèrent dans la chambre de Miette et Tibor prépara le lit de sa fille pendant que celle-ci continuait de présenter son univers à sa nouvelle peluche. Elle lui fit faire le tour de la pièce en passant devant son lit à baldaquin et en longeant chaque mur pour regarder les étagères, les dessins accrochés aux murs, les coffres qui s'empilaient par terre…

— Elle est belle, ma chambre de princesse, hein Boubou? Ça, c'est mon grand lit rien qu'à moi! Ça, c'est mon coffre à jouets! Ça, c'est mon placard pour mes vêtements et ça, c'est mon petit bureau pour faire des dessins. Viens voir, j'ai un truc terrible à te montrer !

Miette ouvrit sa porte-fenêtre, s'accouda à la balustrade de son balcon et y déposa sa peluche hibou.

— Regarde, Boubou ! D'ici, on peut voir tout le village ! Tu te rends compte ? C'est moi que j'suis la chef ! Et la fumée rouge là-bas, dit-elle en tendant la main vers l'une des maisons en contrebas d'où s'échappait des volutes de fumées colorées, c'est la maison de la méchante Mirabelle. Elle m'embête tout le temps et tout à l'heure, elle s'est encore moquée de moi quand je n'ai pas réussi à la transformer en chat !

Miette tira la langue dans le vide en direction de la maison de Mirabelle. C'était son petit moyen à elle de se venger.

Satisfaite, elle tourna les talons et vint se mettre au chaud sous son épaisse couette à rayures.

— Garde bien Boubou contre toi cette nuit, lui dit son papa. Il faut qu'il ait bien chaud !

— Toi aussi tu vas aller dormir, l'interrogea Miette ?

— Non, papa a encore un peu de travail, ce soir.

— Avec les citrouilles boîtes aux lettres ? se rappela Miette.

— Exactement !

— Tu me racontes ?

— Hum… Tous les prétextes sont bons pour ne pas s'endormir tout de suite, hein ?

Le problème qui l'occupait aujourd'hui était que les boîtes aux lettres actuelles ne pouvaient pas recevoir plus de cinq messages à la fois. Or, celles de l'Académie des Sorciers, même si elles étaient très nombreuses, se remplissaient de messages que les professeurs de l'Académie ne pouvaient écouter car ils finissaient souvent par se mélanger entre eux ou pire, s'effacer carrément. Revoir tout le système devenait urgent avant de perdre un message très important.

Tibor avait donc eu l'idée d'inventer un nouveau système de stockage des messages à base de petites boîtes en métal reliées par des filins magiques, qu'il avait nouées ensemble en une grosse boule. Il ne lui restait plus qu'à donner à cette boule l'apparence d'une citrouille pour que les professeurs ne soient pas trop surpris par un nouvel outil.

Tout cela était bien compliqué et demandait de la concentration et Miette n'était pas certaine d'avoir très bien compris.

— Allez ! Au dodo maintenant, murmura Tibor.

— Bonne nuit, papou !

— Bonne nuit, princesse, et bonne nuit, Boubou !

Tibor se pencha pour leur déposer un baiser sur la joue à tous les deux puis regagna l'escalier et descendit jusqu'à la cave.

Là, il découvrit Norbert encore assis dans les marches d'escalier, visiblement préoccupé.

— Norbert ? Tout va bien ?

— Oui oui… répondit le balai majordome en sortant de ses sombres pensées.

Comment parler à ses maîtres d'un amour impossible et d'une demoiselle en détresse ? Décidément, c'était ridicule.

Norbert se redressa et remonta l'escalier, sous le regard étonné de Tibor, puis il regagna le hall d'entrée et son placard, où il partit s'allonger pour la nuit. C'était ce qu'il y avait de mieux à faire pour le moment, soupira-t-il en silence.

Harmonie regagna sa chambre également, après avoir enfilé son pyjama, et se glissa sous sa douce couverture. Sa mère vint la rejoindre pour lui souhaiter bonne nuit.

— Fais des rêves pleins de magie, ma chérie.

— Merci, maman, répondit Harmonie avec un air contrarié.

— Quelque chose ne va pas ?

— C'est à cause de Cassandre, Mirabelle et Rowena. J'en ai assez qu'elles s'en prennent à Miette mais je ne sais pas quoi faire pour les en empêcher.

— Je comprends. Mais ça va être aux adultes de régler ce problème, maintenant. Ce n'est pas la première fois que nous tenons au courant leurs parents de ce qu'elles font subir à Miette. Mais ils ont l'air de ne pas vouloir réagir. Je suis en colère pour ça, tu sais ? dit-elle en fronçant les sourcils.

Artémissia se détourna légèrement en parlant plus à elle-même qu'à sa fille.

— Je voudrais bien voir la tête qu'ils feraient si c'étaient leurs filles qui étaient victimes d'un mauvais sort, tiens !

Harmonie fut un peu surprise de la réaction de sa maman, mais elle ne le montra pas. Elle ne l'avait jamais vue avec une telle colère contenue. Mais c'était normal, se dit-elle. Déjà, en tant que grande sœur, elle était très en colère quand on s'attaquait aussi méchamment à Miette. Alors, qu'est-ce que ça devait être quand on était une maman?! imagina-t-elle.

Artémissia se pencha sur Harmonie et lui embrassa tendrement le front.

— Allez, oublie ça, ma chérie, et tâche de passer une bonne nuit.

— À demain, maman.

La maman quitta la pièce après avoir éteint la lampe sur la table de chevet d'Harmonie. Elle ferma doucement la porte, laissant sa fille rejoindre le monde des rêves. Mais à cette minute précise, Harmonie avait surtout envie que les trois petites chipies paient enfin pour leurs méchancetés.

La nuit était paisible. Pas un chat dehors, pas un coup de vent dans les feuillages pour briser le silence. Une demi-lune en partie voilée par un filet de nuages éclairait froidement les toits de la ville.

Seule une ombre se déplaçait furtivement en prenant soin de ne jamais apparaître dans la lumière des réverbères ou de la lune. Et quand on croyait la voir, elle disparaissait aussitôt.

Soudain, un éclair de magie surgit de nulle part et frappa sa victime endormie. FIIIIIIIIIIIIIZZ!!

Le mystérieux jeteur de sorts qui s'était manifesté retourna se coucher et dormit paisiblement tout le reste de la nuit.

Il venait de faire sa première victime...

CHAPITRE 4

TÊTE
DE CITROUILLE !

U matin, un léger voile de brume couvrait le petit village de Pamprelune. Les oiseaux nocturnes partaient se coucher et laissaient la place à ceux du jour, qui commencèrent à interpréter leur chant pour accueillir cette nouvelle journée.

Rowena, peu sensible à la beauté de ce nouveau jour, sortit de chez elle pour s'en aller réunir ses troupes en réfléchissant aux bêtises qu'elle allait faire faire à ses copines aujourd'hui.

C'était elle la chef du groupe depuis le début, celle qui avait eu ses pouvoirs avant les deux autres. Elle était la première à avoir sculpté sa baguette magique mais surtout, elle était simplement la plus âgée des trois.

Depuis la maternelle et encore aujourd'hui en primaire, Rowena s'amusait à tyranniser les enfants de la cour de récréation, à leur voler leurs jouets et leurs

bonbons, mais réussissait l'exploit de ne jamais se faire prendre.

Son penchant naturel pour la domination était en partie dû au pouvoir que sa chevelure rousse exerçait sur les autres. Elle avait remarqué durant ses leçons que les plus grandes sorcières de l'histoire avaient été rousses elles aussi et qu'elles étaient encore aujourd'hui vénérées comme des déesses ou du moins comme de grandes femmes. Non pas que cette couleur de cheveux confère un statut particulier dans ce monde de sorciers, mais Rowena en était parfaitement convaincue. De fait, elle prétendait être la digne héritière d'une longue lignée de puissantes sorcières et qu'elle méritait à ce titre le rang de chef du groupe.

Cette soi-disant hérédité fascinait et terrifiait à la fois les enfants du village, et Cassandre et Mirabelle avaient très vite compris que pour ne pas être l'une ou l'autre de ses victimes, il était plus prudent d'entrer dans sa bande. Qui savait de quoi une grande sorcière comme elle pouvait être capable ?

En arrivant devant chez Cassandre, elle sourit en se représentant les grimaces d'effroi des autres enfants chaque fois qu'elle parlait de ses grand pouvoirs.

Elle sonna, entra dans la maison, puis s'installa à table avec les parents de Cassandre en attendant que cette dernière sorte de sa chambre. Car comme tous les matins, Cassandre avait du mal à se réveiller.

La mère de Cassandre dut s'y reprendre à deux fois pour la sortir du lit et la fillette était à peine habillée quand elle accueillit Rowena avec des yeux un peu bouffis. Elle avala un petit déjeuner en vitesse, puis elles quittèrent la maison côte à côte, après avoir enfourché leur balai volant. Elles s'envolèrent en direction de la maison de Mirabelle.

En chemin, Rowena évoqua les événements de la veille.

— Je vais le dire à la maîtresse qu'Harmonie veut nous transformer en grosses citrouilles pourries !

— Oui, mais c'est la chouchoute et en plus c'est la fille de la directrice. Elle ne va même pas la gronder ! rétorqua Cassandre un peu jalouse.

— On trouvera un moyen, répliqua Rowena.

— « Je » trouverai un moyen, pensa alors Cassandre.

Du trio infernal, Cassandre était celle du milieu. Elle était le cerveau de la bande, même si Rowena

aurait affirmé le contraire. C'était elle qui avait les meilleures idées de farces ou de jeux et qui arrivait à échafauder des plans diaboliques et compliqués. Elle adorait faire croire à Rowena que les idées venaient d'elle et elle l'abreuvait de compliments et de bonnes idées pour endormir sa méfiance.

Mais un jour viendrait où elle prendrait le dessus sur le groupe, elle en était persuadée ! Elle attendait ce jour patiemment et en silence, en savourant d'avance sa victoire à venir et l'humiliation que subirait alors Rowena. Mais pour ne pas éveiller les soupçons, elle obéissait pour le moment aux ordres de sa chef.

Les deux petites sorcières arrivèrent finalement au pied de la maison de Mirabelle et, voyant la fenêtre de la chambre de leur amie ouverte, elles l'appelèrent d'une même voix depuis la rue sans avoir à sonner à sa porte.

— Mirabelle ! C'est l'heure d'aller à l'école !

Celle-ci se pencha vers ses deux amies.

— J'arrive tout de suite, les filles ! leur répondit-elle gaiement, l'instant d'après.

En découvrant Mirabelle les saluer depuis sa fenêtre, Cassandre et Rowena firent une drôle de tête.

Leurs yeux s'ouvrirent grand et Mirabelle se demanda bien pourquoi leurs mâchoires avaient l'air de s'être décrochées. Elles avaient l'air d'avoir vu un fantôme !

Cette pensée était un peu idiote cela dit, car dans le petit village de Pamprelune, il y avait bien longtemps que les fantômes ne faisaient plus peur à personne.

— Bah ! Qu'est-ce que vous avez à me regarder comme ça ? leur demanda-t-elle. J'ai un bouton sur le nez, ou quoi ?

Si Mirabelle avait eu un nez à ce moment-là, ses deux amies auraient pu lui répondre. Mais non ! Sa tête était devenue toute lisse, toute ronde et toute orange ! Malgré ses lunettes et sa tignasse rose, aucun doute, sa tête était devenue….

— UNE CITROUILLE ! crièrent en même temps Cassandre et Rowena.

Ces dernières se précipitèrent dans la maison de Mirabelle. Elles ouvrirent la porte en la claquant violemment, sans même avoir pris soin de sonner ou d'attendre une réponse et s'écrièrent dans la maison : « Une citrouille !! Sa tête est une citrouille !! »

La maman de Mirabelle, qui avait sursauté quand la porte s'était ouverte, se retourna brusquement vers les petites qui hurlaient au milieu de son salon.

— Mais enfin, qu'est-ce qu'il vous prend à toutes les deux? gronda-t-elle. Pourquoi criez-vous comme ça?

— Madame, reprit Cassandre, la tête de Mirabelle!! C'est une citrouille!

— Comment? Mais qu'est-ce que vous racontez?

— Vous l'avez vue depuis ce matin? l'interrogea Rowena alors qu'elles remontaient toutes les trois l'escalier vers la chambre de Mirabelle.

— Non… Nous venons tout juste de nous lever et Mirabelle est toujours la dernière à venir prendre son petit déjeuner.

Elle ouvrit la porte de la chambre de sa fille et découvrit une grosse citrouille perchée sur le corps de Mirabelle, portant ses lunettes et ses cheveux. Et en plus, la citrouille parlait!

— Salut, m'man! Salut, les filles! Est-ce que tout va bien? s'étonna-t-elle, surprise de cette arrivée groupée.

— AAAAAH!!! hurla sa mère en la fixant.

— Mais enfin! Qu'est-ce que vous avez toutes, ce matin? grogna Mirabelle que les cris de tout le monde commençaient sérieusement à agacer.

Cassandre lui fit signe d'une main de ne pas bouger. Elle se précipita hors de la chambre, courut

décrocher un miroir suspendu sur un mur au fond du couloir et revint en le brandissant devant Mirabelle.

— AAAAAH!!! hurla-t-elle alors, en découvrant son visage.

— C'est ce que j'ai dit, lui lança sa mère. Je… Je vais prévenir l'Académie immédiatement!

Elle quitta la chambre, laissant les trois petites sorcières toute seules. Mirabelle ne pouvait s'empêcher de se fixer dans le miroir. Elle se mit à pleurer et constata que ses larmes étaient épaisses et jaunâtres. Elle pleurait du jus de citrouille!

Elle cacha son visage dans ses mains, mais le contact avec l'aspect rugueux de la peau de légume la dégoûta.

— Allez-vous-en! sanglota-t-elle à l'attention de ses deux amies. Je ne veux pas que vous me voyiez comme ça! Vous allez encore vous moquer de moi!

Car des trois petites sorcières, Mirabelle avait longtemps été le souffre-douleur. Du moins au début. Son léger strabisme, sa paire de lunettes aux verres épais qui donnaient à ses yeux l'air d'être noyés dans un verre d'eau, sa chevelure rose fuchsia, symbole de ses origines nordiques, qui frisait par temps de pluie, lui donnant l'allure d'une barbe-à-papa… tout cela avait fait la joie du duo Cassandre-Rowena durant un certain temps.

Heureusement, elles avaient fini par se lasser, au grand soulagement de Mirabelle. Elles l'avaient par la suite intégrée dans leur bande en se disant que si un jour elles devaient se faire prendre pour une bêtise ou une autre, la punition serait partagée en plus de parts grâce à elle.

Mais ce que Rowena et Cassandre ignoraient, c'était que Mirabelle avait répertorié chacune des humiliations qu'elle avait subies dans un carnet de notes et qu'un jour elle se vengerait d'elles en prenant la tête du groupe !

— Mais non ! la rassura Rowena. On ne va pas se moquer de toi. Ne t'inquiète pas, ta maman va prévenir l'Académie et tout va s'arranger !

La mère de Mirabelle se précipita alors vers sa citrouille boîte aux lettres. Elle saisit une boîte d'allumettes, ouvrit le couvercle sur le haut de la citrouille, gratta une allumette et enflamma la bougie à l'intérieur du légume, puis parla en direction de la petite flamme qui venait de naître.

— Chers membres de l'Académie, ma fille a été victime d'un mauvais sort durant son sommeil et je ne sais pas quoi faire ! Venez vite, je vous en prie !!

— Destinataire ? interrogea la citrouille.

— La Grande Académie des Sorciers, s'il te plaît !

— Parfait ! Vous pouvez souffler la bougie.

La mère s'exécuta. La flamme soufflée laissa place à un filin de fumée qui se perdit dans l'air. Il n'y avait plus qu'à laisser faire la magie…

La mère de Mirabelle regagna ensuite la chambre de sa fille.

— Maman, tu pourrais me libérer, toi ? s'inquiéta l'enfant transformée.

— Non, ma chérie, répondit-elle. Je n'ai jamais vu ce sort avant aujourd'hui et j'aurais trop peur de faire une bêtise en tentant de le défaire. Il y a parfois des risques d'accidents… Les membres de l'Académie sont beaucoup plus qualifiés pour ce genre de problème. Il n'y a plus qu'à les attendre.

Cassandre et Rowena, ne pouvant rien faire de plus, saluèrent leur meilleure amie et reprirent le chemin de l'école, bien déterminées à venger Mirabelle. Car même si elle avait été leur souffre-douleur durant de nombreuses semaines, personne d'autre qu'elles n'avait le droit de s'en prendre à elle. Et tous leurs soupçons se portaient sur la seule petite sorcière à

les avoir menacées de subir une telle transformation :
Harmonie.

En vol, elles échangèrent un regard et une même
pensée silencieuse : leur vengeance allait être terrible.

Dans la maison d'Harmonie et de Miette, on
s'était éveillé doucement. Norbert s'était levé le premier pour ouvrir les volets et faire entrer la lumière.
Ensuite était venu le tour des parents, qui avaient
préparé le petit déjeuner de leurs filles, avant de
faire faire une balade matinale à Youki, pour qu'il se
dégourdisse un peu les ailes. Son jeu favori consistait
à poursuivre les oiseaux, les prenant sans doute pour
des peluches. Mais il était un peu trop lourdaud et
n'était pas près d'attraper ses proies !

Harmonie avait eu un peu de mal à se réveiller. Au
grand étonnement de sa maman d'ailleurs, connais-
sant sa fille plutôt matinale. Depuis le fond de son lit,
Harmonie lui avait dit qu'elle venait de passer une
assez mauvaise nuit. Artémissia avait cherché à en
connaître la cause, si tant est qu'il y en avait une, mais
Harmonie avait éludé la question en parlant de mauvais rêves et de longs questionnements nocturnes.

Sa maman n'avait donc pas insisté.

Après le petit déjeuner durant lequel Harmonie avait bâillé à s'en décrocher la mâchoire, toute la famille prit le chemin de l'école. Le père de Miette et d'Harmonie embrassa ses filles puis sa femme, et partit sur son propre balai volant en direction de l'Académie, avec le fruit de ses travaux dans sa besace. La maman des deux petites sorcières se pencha vers elles.

— À ce soir, mes chéries ! Travaillez bien et soyez sages ! Enfin, comme d'habitude, lança Artémissia avec un petit sourire.

— À ce soir, mimoune ! (Miette embrassa sa maman puis sa grande sœur.) À tout à l'heure à la cantine, Nini !

— Je te garderai la place à côté de moi, Miette ! lui dit Harmonie en se frottant les yeux, rouges de fatigue.

Artémissia regarda ses filles s'éloigner puis entra à son tour dans l'école, monta le grand escalier principal puis se dirigea vers son bureau. En chemin, elle se dit qu'elle allait bientôt devoir convoquer les parents des trois petites chipies, qui sévissaient dans la cour de récréation comme à l'extérieur de l'école.

Miette retrouva ses camarades de classe dans la cour de la maternelle, tandis qu'Harmonie s'étonna de ne voir ni Mirabelle, ni Cassandre, ni Rowena en train de l'épier et de dire des méchancetés sur elle.

Elle accueillit leur absence avec une pointe de soulagement. Mais elle retint sa joie, sachant très bien que ça ne durerait pas.

La sonnerie retentit et tout le monde entra en classe. Alors que les élèves finissaient de s'installer, Cassandre et Rowena arrivèrent finalement, s'excusant platement auprès de la maîtresse. Elles expliquèrent que Mirabelle serait absente pour la journée car elle avait eu un gros problème.

Qu'avait-il bien pu lui arriver au point qu'elle ne vienne pas en classe ? s'interrogea Harmonie. Mais Cassandre et Rowena n'en dirent pas plus, bien qu'elles aient eu l'air très au courant.

Elles rejoignirent leur pupitre en prenant soin de bousculer celui d'Harmonie sur leur passage et de faire tomber tous ses livres et tous ses crayons. Trop épuisée pour répliquer, Harmonie se pencha pour ramasser ses affaires sans dire un mot. Comme Artémissia le matin même, Cassandre et Rowena constatèrent elles aussi qu'Harmonie semblait bien fatiguée.

Quand elles furent installées à leur place, la classe commença.

Le cours débuta par l'histoire du vol sur balai, avant une heure de pratique dans le gymnase tout en hauteur. Chaque mois, les petits sorciers et les petites sorcières apprenaient de nouvelles façons d'enfourcher leur balai volant, étudiaient le vol en rase-motte puis le décollage vertical, analysaient les meilleurs bois pour fabriquer le manche et le meilleur matériau pour constituer les fagots de la brosse : genêt bien sûr, mais aussi petit bois, plumes de paon, pics de porc-épic, écailles de dragonneau des steppes du Sud…

Harmonie se cogna plusieurs fois aux parois du gymnase, provoquant les rires de ses camarades. La matinée se poursuivit par quelques cours de sortilèges dans la salle de chimie.

Bien que le bâtiment paraissait assez petit vu de l'extérieur, l'école possédait de nombreuses salles pour y étudier la magie et l'on pouvait aisément se perdre dans ses immenses couloirs si on n'en connaissait pas tous les détours. De puissants sortilèges entouraient chacune des portes de l'établissement et on disait que certaines donnaient directement dans un bureau de l'Académie des Sorciers, bien plus au nord de Pamprelune, tandis que la porte voisine donnait sur une falaise au bord de l'océan à des milles de là.

Harmonie, d'habitude très bonne élève, eut un mal fou à rester éveillée et trouva les heures de classe interminables. La nuit précédente avait été difficile, mais elle ne devait pas céder à la douce chaleur du sommeil.

Le repas de midi qui tardait à arriver la réveillerait sans doute, pensa-t-elle. En attendant, le son de la voix de la maîtresse la berçait, mais elle devait maintenir les yeux ouverts encore quelques heures.

De si longues heures. Trop longues…

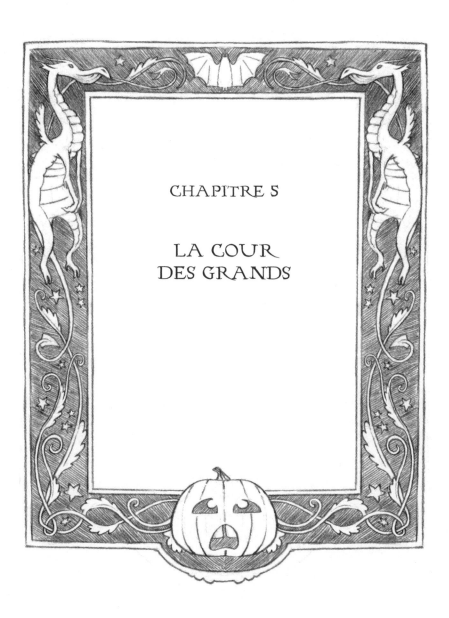

CHAPITRE 5

LA COUR
DES GRANDS

AÎTRE Flamélio était le doyen de la Grande Académie des Sorciers. Certains disaient même qu'il en était le fondateur, mais d'autres textes affirmaient que l'Académie avait plusieurs centaines d'années. À moins que Maître Flamélio ait découvert le secret de longévité, il devait y avoir une erreur quelque part.

Il avait entendu parler de ces rumeurs qui, il fallait bien l'avouer, l'amusaient beaucoup. C'était un très vieil homme qu'on disait grand sage, mais il répondait à tous ceux qui lui prêtaient cette grande sagesse qu'il l'échangerait volontiers contre leur petite jeunesse ! Et quand on lui demandait la vérité sur cette légende selon laquelle il aurait fondé l'Académie, il préférait répondre par une pirouette et rire comme un enfant. Nul ne saurait sans doute jamais la vérité et c'était bien là ce qui l'amusait le plus.

À l'Académie, il présidait chacune des réunions sur la magie, orchestrait chaque laboratoire de recherche et coordonnait chaque enquête concernant des problèmes de magie. Depuis longtemps déjà, il réfléchissait même à créer une police magique mais le faible taux de criminalité dans le pays lui laissait penser que ce serait surtout une perte de temps.

Et dans ses moments de pause, il flânait des heures durant dans l'immense salle des archives qui réunissait plus de mille ans d'écrits sur la magie et les sortilèges. Maître Flamélio aimait à dire qu'il fallait plus d'une vie à un homme pour parcourir tout le savoir qui était entassé dans cette salle d'archives. Et dans ses moments de facéties, il ajoutait qu'il avait eu la chance d'avoir déjà tout lu deux fois...

Maître Flamélio était justement en train d'étudier un grimoire très ancien quand un jeune sorcier entra en trombe dans la pièce, l'air un peu affolé. Il informa le doyen d'un message que l'Académie venait de recevoir concernant un sérieux problème de magie dans le village de Pamprelune.

— Pamprelune, dites-vous ? Nous avons l'un de nos académiciens là-bas, il me semble ? interrogea le vieil homme.

— Tout à fait ! Tibor Pampre, Maître. Il a été informé en urgence et nous rejoindra sur place.

— Alors, allons-y sur le champ pour étudier ce cas !

Maître Flamélio sortit sa baguette magique de sa manche et fit un grand geste circulaire devant lui en prononçant la bonne formule.

— Portaillexpress! À Pamprelune!

Le cercle tracé se solidifia puis se troubla. Maître Flamélio et son jeune assistant le traversèrent et se retrouvèrent instantanément à plusieurs kilomètres de là, aux abords de Pamprelune. Ils furent accueillis par Tibor qui avait visiblement l'air inquiet.

— Merci d'avoir fait si vite, Maître Flamélio! dit le papa de Miette et d'Harmonie. Je n'ai pas encore vu la victime, mais tout ce que je sais, c'est qu'il s'agit d'une enfant.

— Ne perdons plus de temps, mon ami. Je vous suis! lui répondit le vieil homme.

Le petit groupe arriva enfin devant la maison de Mirabelle et fut accueilli par les parents de la fillette. Visiblement, ils étaient très en colère. Maître Flamélio, le jeune sorcier et Tibor furent très vite conduits dans la chambre de la pauvre enfant.

— Un cas fort intéressant! constata Maître Flamélio en observant à la loupe le visage de Mirabelle. Voyons de quel genre de sort il s'agit.

Il sortit à nouveau sa baguette magique en traçant un circuit imaginaire autour de la citrouille qui servait de visage à Mirabelle.

— Magikélà ! Févoirtabouille !

Tout à coup, l'air autour de la citrouille se mit à briller et des écritures lumineuses apparurent. Maître Flamélio venait d'utiliser un sortilège permettant de dévoiler quelle formule magique avait été prononcée pour ensorceler la fillette. C'était comme s'il lisait « l'étiquette » du sort. Hélas ! le nom de celui qui l'avait prononcé n'était jamais inscrit. Il se pencha sur les écritures lumineuses mais ne reconnut pas le sort.

— C'est normal, lança Tibor très surpris. Je comptais vous présenter cette formule ce matin même ! C'est moi qui l'ai inventée hier soir à propos de ce problème de citrouilles boîtes aux lettres !

— Voilà qui est fort étonnant ! À qui l'avez-vous donc divulgué, mon cher Tibor ? l'interrogea le vieux sorcier.

— Mais à personne, je vous assure !

— C'est vous qui l'avez utilisé sur ma fille ! l'accusa alors le père de Mirabelle. Avouez !!

— Je suis membre de l'Académie des Sorciers, monsieur. Je n'utilise aucun sort à la légère et encore moins contre un enfant ! se défendit-il.

— Il suffit ! gronda Maître Flamélio. L'identité du jeteur de sorts est un mystère, mais en attendant, soucions-nous plutôt de cette demoiselle en bien mauvaise posture.

— Vous avez raison, Maître. Pardonnez-moi, conclut Tibor.

Maître Flamélio et lui travaillèrent plusieurs minutes à défaire les liens du sort. À tout sortilège imaginé, il fallait un « antidote », un moyen de pouvoir le dénouer. Chaque créateur de formule prenait donc soin de laisser un « fil » sur lequel tirer pour dénouer le tout, comme on déroulerait une pelote de laine. Ce même fil qu'Harmonie avait tiré la veille, sur le sortilège qui avait transformé Miette en chaton.

Les parents de Mirabelle frémirent en voyant le visage de leur fille tourbillonner, changer de forme et de couleur. Après quelques minutes, Mirabelle put se regarder à nouveau dans le miroir. Elle constata avec soulagement que son visage avait retrouvé son apparence d'origine, mais découvrit sans surprise que son strabisme, lui, n'avait hélas! pas disparu.

Elle était épuisée.

— Voilà! Le mal est réparé! annonça fièrement Maître Flamélio en se retournant vers les parents de la fillette. Si elle a des envies de soupe au potiron pendant un petit moment, c'est normal! Hi! Hi!

Les membres de l'Académie quittèrent la chambre de Mirabelle pour la laisser se reposer. Maître Flamélio retraça devant le groupe le cercle lumineux servant de portail magique jusqu'à l'Académie. Avant

de le franchir, Tibor en profita pour aborder un sujet épineux avec les parents de Mirabelle.

— Madame, monsieur, ce qui vient d'arriver à votre fille est terrible et nous ferons en sorte de lever le voile sur cette attaque nocturne. S'en prendre ainsi à une enfant est un véritable crime. Mais sachez qu'elle n'est pas la seule dans le village à avoir été victime d'un mauvais sort récemment. Ma cadette Miette est le souffre-douleur de votre fille et de ses amies. C'est fatigant. Aussi, je vous conseille de bien surveiller Mirabelle, avant qu'il ne lui arrive quelque chose de vraiment grave… Bonne journée.

Il emboîta le pas de ses collègues de l'Académie et disparut à son tour dans le portail lumineux.

Les parents de Mirabelle restèrent quelques minutes sur le pas de leur porte, silencieux, se remémorant les paroles de l'académicien.

— Tu l'as entendu, celui-là? C'était une menace qu'il a faite à notre fille ! constata la maman en colère.

— C'est lui qui l'a transformée. J'en suis sûr ! lui répondit son mari.

À l'école, le repas de midi fut sans histoire. En début d'après-midi, la maîtresse d'Harmonie se lança dans un cours sur les rapaces.

— Le hibou n'est pas et ne sera jamais le mâle de la chouette, donc sortez-vous cette idée de la tête, les enfants ! Et contrairement à la chouette, il porte des aigrettes de plumes sur la tête que l'on prend trop souvent pour ses oreilles. C'est un rapace nocturne. Cela veut dire qu'il chasse ses proies la nuit et qu'il dort le jour. (Elle se tourna alors vers la classe et haussa un peu la voix en découvrant Harmonie affalée sur son pupitre, respirant fortement, visiblement endormie.) Harmonie ! reprit-elle. Je te sens particulièrement concernée par le sujet, je me trompe ?

Toute la classe se mit à rire et Harmonie se réveilla brusquement, rouge de honte.

— Hein ?! Quoi ?! Oh, pardon madame !! bredouilla-t-elle sans savoir où se mettre. À cet instant, elle aurait voulu se cacher dans le plus petit trou de souris et disparaître des yeux et des rires de tous.

— Tâche de suivre la fin de la leçon, lui conseilla la maîtresse en reprenant le cours.

Quelques instants plus tard, une grue en origami (les enfants de la classe adoraient la magie du pliage !) s'envola du bureau de Cassandre pour atterrir discrètement sur celui d'Harmonie, à l'abri du regard de la maîtresse. Intriguée, Harmonie saisit la grue et la déplia car elle venait de remarquer un message écrit dessus.

— J'espère que tu t'es bien reposée, disait l'écriture en pattes de mouche, parce que tu vas payer pour ce que tu as fait, sale menteuse !

Durant la récréation, Cassandre s'approcha d'Harmonie et sortit sa baguette magique, bien que le règlement de l'école l'interdise formellement. Mais peu lui importait, elle était prête à enfreindre la règle pour venger son amie. Elle interpela Harmonie qui se retourna en entendant son nom, et lui jeta un sort avant même qu'elle ne puisse répondre.

— Cheveupabô !

Le sort transforma les chignons d'Harmonie en deux fagots de paille verte. Elle hurla en voyant l'état de ses cheveux.

— Pourquoi t'as fait ça ? Pourquoi tu es méchante avec moi ? cria-t-elle. Qu'est-ce que je t'ai fait ?!

— Tu as transformé la tête de Mirabelle en citrouille ! Alors, c'est bien fait pour toi !

Harmonie ne comprenait pas de quoi parlait Cassandre. Mais ça ne l'empêcha pas de s'énerver aussitôt, faisant remonter toute la colère accumulée par les mois que Cassandre et ses amies avaient passés à chahuter Miette.

— Tu dis n'importe quoi ! Ce n'est même pas moi, d'abord ! rétorqua Harmonie. Mais si tu veux, je peux commencer tout de suite !

Harmonie sortit sa baguette à son tour et jeta un sort à Cassandre.

— Billdecloun !

Cassandre se retrouva affublée d'un maquillage grossier, avec une bouche toute rouge, des yeux cernés de blanc et des ronds tout roses sur les joues.

— Comme ça, tu seras moins moche ! ironisa Harmonie.

Les autres élèves qui assistaient au combat, rirent aux éclats. Cassandre, folle de rage, se jeta sur Harmonie et toutes les deux chutèrent. Elles se rouaient de coups de poing et de coups de pied, se mordaient les bras, se tiraient les cheveux. Tous les autres élèves formèrent très vite un cercle tout autour d'elles pour encourager l'une ou l'autre selon leurs affinités.

— Modafreuz ! lança Cassandre.

Et Harmonie se retrouva affublée de vêtements ridicules.

Les enfants en maternelle s'aperçurent qu'il y avait une bagarre chez les grands en entendant les cris d'encouragement. Ils se ruèrent sur les grilles séparant les deux cours de récréation pour assister eux aussi au combat. Miette découvrit avec stupeur que sa grande sœur était impliquée dans la bagarre.

— Nini! hurla-t-elle, tandis qu'Harmonie s'apprêtait à jeter un nouveau sort.

Les instituteurs arrivèrent enfin. Le combat n'avait duré en réalité que deux ou trois minutes, mais des sortilèges avaient eu le temps d'être lancés.

Artémissia était très en colère. Elle sépara les deux petites sorcières en leur attrapant chacune un bras.

— Il est strictement interdit d'utiliser la magie dans la cour de récréation! Jeter des sorts sur ses camarades de classe est un motif de renvoi et vous le savez! Allons dans mon bureau. Vous allez devoir tout m'expliquer pour que je ne sois pas obligée d'arriver à une telle extrémité.

Les deux fillettes suivirent la directrice en baissant la tête. Leur colère s'envola pour laisser place à une terrible inquiétude. Elles allaient passer un mauvais quart d'heure.

Derrière sa grille, de l'autre côté de la cour, Miette était en train de se dire exactement la même chose.

— Maman, elle va gronder Nini. C'est pas juste.

Puis la sonnerie retentit et tout le monde regagna sa classe, les maternelles comme les primaires. Dans les couloirs, on ne parlait que de ça et chaque enfant prenait la défense de l'une ou de l'autre, affirmant être dans le camp de leur amie et regardant méchamment celles et ceux qui n'en faisaient pas partie.

Dans le bureau de la directrice, les deux petites sorcières regardaient leurs pieds, honteuses de ce qu'il venait de se passer. Cassandre parla la première en racontant toute l'histoire depuis le début.

— En citrouille ? interrogea Artémissia.

— Oui, madame la directrice. Mirabelle avait la tête toute ronde et orange ! Hier, Harmonie nous a dit qu'elle allait nous transformer en grosses citrouilles pourries ! On l'a toutes entendu ! Même Miette !

— Hum… Elle dit la vérité ? demanda Artémissia en se tournant vers sa fille.

— Oui, mais… Ce n'est pas moi qui ai jeté un sort à Mirabelle ! Je te le jure, maman !

— Tout à l'heure à la récréation, ta maîtresse vient me voir et m'informe que tu dors en classe. Et quand je me retourne, que vois-je ? Ma fille en train de se battre avec une autre élève. Je ne sais pas ce qui t'arrive en ce moment, Harmonie, mais je suis vraiment très déçue !

— Mais, maman…

— Je vous mets en retenue toutes les deux jusqu'à la fin de la journée. La prochaine fois, vous y réfléchirez à deux fois avant de vous jeter des sorts dans la cour de l'école.

Les deux petites sorcières ne dirent plus un mot et s'installèrent aux pupitres de retenue, au fond du

bureau de la directrice. Elles commencèrent à reco-
pier le règlement intérieur de l'école en se jetant de
temps à autre des regards noirs. Elles en auraient
pour tout l'après-midi.

La fin de journée risquait d'être très longue...

CHAPITRE 6

LA MAGIE
DE LA TERRE

E soleil commençait à disparaître derrière les montagnes, mais l'air était encore chaud.

Plus aucun incident ne perturba la journée et Harmonie rentra finalement chez elle avec sa maman et sa petite sœur, mais dans le silence le plus complet. Miette non plus n'osait pas trop ouvrir la bouche. Elle sentait que sa maman était un peu fâchée contre Harmonie et cela lui faisait du mal. Elle n'avait tellement pas l'habitude que sa maman se mette en colère ! Harmonie semblait toute triste et Miette détestait ça aussi.

À la maison, le climat était un peu tendu. Les parents des petites sorcières s'installèrent dans le salon pour se raconter discrètement leur journée, demandant à leurs filles de les laisser seuls un moment.

Miette et Harmonie se réfugièrent donc dans la chambre de cette dernière, laissant leurs parents à leur discussion. Mais Harmonie s'approcha doucement d'un des murs de sa chambre et ouvrit le clapet d'un des tubapapotes pour en savoir un peu plus.

Celui qui donnait sur le salon devait être fermé, mais Harmonie réussit à percevoir quelques bribes de la conversation.

— Harmonie m'a confirmé qu'elle a bien lancé les menaces dont parlaient Cassandre et Rowena, entama Artémissia. Ça ressemble fort à une vengeance.

— C'est vrai, ajouta Tibor. Et la transformation de Mirabelle est bien due au sort que j'ai inventé hier soir. Harmonie aurait donc pu le prononcer.

Il y eut un silence un peu triste. Depuis sa chambre, Harmonie sentit que ses parents s'interrogeaient sur elle. Était-elle réellement capable de faire une telle chose ? Les sorts qu'elle n'avait pas hésité à jeter dans la cour de récréation ne jouaient pas en sa faveur… Son père reprit alors la parole.

— Malgré tout, nous n'avons aucune preuve de sa culpabilité. Ce ne sont pour le moment que des suppositions et d'étranges coïncidences. Toi comme moi savons bien qu'Harmonie serait incapable de faire autant de mal à l'une ou l'autre de ses camarades !

— C'est vrai. Elle a été punie tout à l'heure pour la bêtise qu'elle a faite dans la cour. Ce n'est pas la peine de l'accabler davantage avec de simples soupçons. Le sujet est donc clos.

Dans sa chambre, Harmonie éprouva un léger soulagement. Toutefois, elle sentit bien que ses parents

n'étaient pas très à l'aise avec tout ce qu'il venait de se passer. Elle préféra donc s'isoler dans sa chambre et dans ses livres de contes pour voyager avec les mots et ne plus penser à toute cette histoire, délaissant par la même occasion sa petite sœur qui aurait bien voulu jouer avec elle.

— Je suis désolée, Mimi. Mais je n'en ai pas très envie, lui répondit Harmonie. J'ai besoin d'être un peu seule.

— Oh! D'accord.

Miette tourna les talons pour revenir dans le salon. Elle rejoignit son père en lui rappelant la promesse qu'il avait faite la veille. Elle tenait à s'entraîner à nouveau pour découvrir si, oui ou non, elle avait enfin des pouvoirs magiques.

Tibor et elle s'installèrent devant la maison, sous le regard attendri d'Arthur, leur citrouille boîte aux lettres, qui était fasciné par l'énergie que pouvait mettre la petite humaine à chercher ses pouvoirs. Elle serra les poings et poussa de toutes ses forces, l'air déterminé, mais hélas! rien ne vint.

— On va faire un autre test, lui proposa son papa. Pour utiliser la magie, il faut d'abord savoir d'où elle vient, la comprendre, la ressentir. Tu vois, la magie vient de notre terre. Pose tes mains dans l'herbe et dis-moi ce que tu ressens.

La petite sorcière s'exécuta et posa ses deux mains à plat dans l'herbe.

— Je sens rien, dit-elle tout de suite.

— Petite impatiente ! Il faut que ça dure plus longtemps, ajouta son père avec un léger sourire attendri. Ferme les yeux. Respire profondément, mais doucement. Quand tu inspires à fond, retiens ton souffle deux petites secondes, comme s'il était suspendu, avant d'expirer lentement. Voilà, comme ça. Et maintenant écoute la terre et dis-moi ce que tu perçois…

Un silence s'installa alors. Arthur, du haut de son muret, était subjugué. La fillette mettait toute son âme à faire ce que lui dictait son père. Tibor retenait son souffle en attendant que Miette reprenne enfin la parole.

— Je sens… je sens des choses, papa !

— Je t'écoute ! Décris-les-moi !

— Ça sent l'herbe fraîche et les fleurs de printemps.

— La magie est en elles aussi, tu sais.

— Il y a… une petite fourmi qui se balade sur ma main.

— Tu arrives à entendre ce qu'elle te dit ?

— Non… Mais elle a l'air étonnée. Elle tourne en rond et cherche son chemin. Une autre s'avance

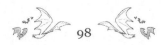

sur mon pouce. Ça y est. Elles se sont retrouvées. La fourmi perdue va pouvoir rejoindre la colonie.

— Continue, Miette. C'est la magie qui cherche aussi son chemin pour t'atteindre !

— C'est tout doux sous mes doigts et ça fait comme des petits guiliguilis au bout. C'est rigolo !

— Tu sens cette vibration ?

— Oui, je crois. C'est ça, la magie, papa ?

— Oui, ma chérie. C'est comme une rivière qui suivrait un courant sous la terre. Quand on atteint l'âge, elle jaillit et nous sommes éclaboussés par cette magie.

— Et ça fait mal ?

— Non ! Pas du tout ! Regarde !

Le papa de Miette posa une main sur le sol et de l'autre, il jeta une petite vaguelette de magie brute sur Miette.

— Ha ! Ha ! Ha ! Arrête ! Ça chatouille !

— Tu vois, ça ne fait pas mal du tout !

Miette se regarda de haut en bas, sans comprendre.

— Mais papa, tu viens de me jeter un sort et je ne me suis pas transformée. Comment ça se fait ?

— C'est parce que tu te trompes, Miette. Je ne t'ai pas jeté un sort. Je t'ai montré ce qu'était l'énergie

magique qui circule sous nos pieds. Ce n'est pas la même chose.

— Je ne comprends plus rien !

— Hi ! Hi ! Je vais essayer de t'expliquer. La magie, c'est de l'énergie brute. L'homme a découvert cette énergie et s'est aperçu qu'il pouvait la guider, la façonner selon sa volonté. Comme s'il avait découvert un grand bloc de granit et qu'il avait compris qu'il pouvait le sculpter, tu comprends ?

— Oui !

— Eh bien, pour « sculpter » cette énergie, nous avons inventé plein de formules magiques. Et chaque formule magique donne un résultat différent. Tu comprends mieux ? Un sortilège, c'est donc de l'énergie magique puisée de la terre, plus une formule magique !

— Je crois que j'ai tout compris ! Je veux réessayer de la ressentir, papa !

— Alors, continue l'exercice, ma Minette.

Pendant ce temps, trois petites chipies s'étaient réunies au bout de la rue. Après le sortilège qui avait transformé la tête de Mirabelle et la bagarre dans la cour de l'école, elles n'allaient sûrement pas se laisser faire.

Malgré l'interdiction de sortir de sa mère, Mirabelle avait quitté son lit pour rejoindre ses deux copines.

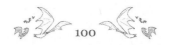

En apprenant ce qu'il s'était passé dans la cour entre Cassandre et Harmonie, toutes les trois avaient pris la décision de se venger.

Elles remontèrent la rue, puis s'accroupirent en arrivant à la hauteur de la maison d'Harmonie et de Miette. Elles s'aperçurent avec soulagement que la boîte aux lettres familiale était tournée vers l'intérieur. Par conséquent, elles étaient totalement invisibles. Il ne restait plus qu'à attendre le bon moment pour lancer l'attaque…

Visiblement, Miette s'exerçait à la magie dans son jardin avec son père. Il fallait attendre que ce dernier parte pour se jeter sur la petite sorcière sans pouvoirs. Elles se dirent qu'après tout, quitte à se venger des deux sœurs, autant attaquer la plus vulnérable ! C'était très lâche, mais elles trouvèrent ça surtout très amusant.

Tapies derrière la haie de la maison, elles attendirent patiemment…

— Allez, Miette, encore une fois ! l'encouragea son père.

— Gniiiiii ! Pfiouu… J'y arrive pas, c'est pas juste. J'ai poussé très fort, mais tout ce que j'ai fait, c'est un petit prout !

Miette et son papa échangèrent un regard complice et éclatèrent de rire ensemble. Puis ils essuyèrent du

revers de la manche les larmes de rire qui avaient perlé au coin de leurs yeux.

Les rires sortirent Norbert, le balai majordome, de sa rêverie. Toute la journée, il avait tourné en rond dans la maison en se demandant comment libérer sa dulcinée, sans affronter la terrible ombre qui hantait le manoir d'en face. Tout seul, au milieu de la chambre de Miette, il avait joué les balais intrépides et courageux, mais très vite il s'était rappelé qu'il était franchement peureux et qu'il ne s'était jamais battu. Alors que faire, à part ruminer sur sa propre lâcheté?

Youki lui apporta une partie de la réponse en venant lui faire une grosse léchouille pleine d'affection : il valait mieux pour l'instant s'occuper d'autre chose.

— C'est l'heure de ton brossage, c'est ça? Allez, viens là mon gros, je vais te grattouiller les ailes!

— Groumpf! lui répondit Youki avec enthousiasme.

Harmonie, dans sa chambre, avait elle aussi entendu ces rires et ils l'avaient un peu blessée. Elle

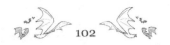

aurait tellement voulu être en train de rire avec sa famille. Mais Cassandre en avait décidé autrement. Cette même Cassandre qui, justement, continuait d'espionner derrière la haie avec ses deux copines. Soudain, Arthur, la citrouille boîte aux lettres, prit la parole quand sa bougie s'alluma.

— Courrier ! annonça-t-il fièrement.

Tibor se releva et s'approcha d'Arthur. Il souleva le couvercle avant de souffler la flamme de la bougie.

— Provenance ?

— La Grande Académie des Sorciers, monsieur.

La bougie soufflée laissa s'échapper un épais filet de fumée qui se déroula au-dessus d'Arthur. La fumée resta figée un instant en une sorte de petit nuage blanc qui s'ouvrit soudain pour dessiner un visage dans ses volutes. Tibor reconnut immédiatement les traits de Maître Flamélio dans la fumée. La longue barbe et les épaisses lunettes du vieil homme ne pouvaient pas le tromper.

— Bonsoir, cher collègue ! L'Académie souhaite vous confier une nouvelle mission. Nous avons étudié avec attention vos travaux sur les sorts de lévitation. En effet, comme vous l'avez constaté, ils ont une capacité très limitée. Seuls les objets les plus légers peuvent être soulevés sans risque de rupture du sort et il est plus que temps que cela change.

Nous souhaiterions donc que vous poursuiviez vos recherches afin d'augmenter la charge. Nous aimerions pouvoir déménager dans les semaines à venir toute une maison en un claquement de doigt ! Pensez-vous pouvoir présenter un projet dès demain ? Sorcièrement, Maître Flamélio.

Puis la fumée se dissipa et le visage de Maître Flamélio se dispersa dans les airs.

— C'est pas du jeu, reprit Miette. Je voulais encore jouer à la magie, moi.

— Eh bien, tu n'auras qu'à y jouer avec Boubou, lui dit son père en s'excusant. Continue à toucher la terre et cherche à attirer la magie vers toi.

— Grmbl…

— Allons, ne fais pas cette tête, Miette. Nous réessaierons demain si tu veux.

Tibor remonta les quelques petites marches de l'entrée et disparut dans la maison. En chemin, il croisa Norbert qui finissait de frotter les ailes de Youki. Il les dépassa et regagna son atelier à la cave.

Miette boudait sur sa petite marche d'escalier, devant la maison. Norbert sortit et se posta à côté d'elle, épuisé mais content. Il jeta un regard distrait en direction du manoir d'en face, histoire de voir s'il apercevait à nouveau la belle dame en détresse à une fenêtre. Mais non, les volets étaient clos.

— Et voilà le travail! lança-t-il pour se changer les idées. Une litière à dragon toute propre et un Youki bien brossé sous les ailes!

— Tu as pensé à le rattacher et à bien fermer la porte de ma chambre pour ne pas qu'il aille encore mâchouiller mes peluches? l'interrogea Miette.

— Plaît-il?

À ce moment-là, les trois petites chipies encore cachées derrière la haie apparurent d'un coup et traversèrent en un clin d'œil la petite cour les menant droit sur Miette.

— À l'attaque!!! crièrent-elles à l'unisson.

Mais à peine étaient-elles arrivées sur Miette, prêtes à lui faire de nouvelles misères, qu'une ombre ronde fondit sur elles en grognant.

— AAAAAAH!!! UN DRAGON!!!

Les trois méchantes petites sorcières qui faisaient face à Youki et à son air énervé, prêt à leur mordiller les mollets, détalèrent comme des souris. Elles furent si apeurées qu'elles foncèrent droit devant elles, sans se soucier de ce qui se trouvait sous leurs pieds. Elles écrasèrent au passage plusieurs parterres de fleurs, détruisant de petits arbustes plantés là avec amour par Artémissia. Puis elles débouchèrent dans la rue et retournèrent chez elles en courant, n'osant pas se retourner.

Ce n'était pas tout le monde qui avait la chance d'avoir un dragon apprivoisé comme animal de compagnie. Et même si Youki avait pour habitude de s'en prendre surtout aux peluches de Miette, il n'en était pas moins un animal capable de briser une noix de coco d'un coup de dents et de cracher du feu! Cassandre, Mirabelle et Rowena n'étaient pas près de revenir embêter Miette!

Youki atterrit en souriant auprès de Miette qui lui fit un gros câlin.

— Merci, mon Youki! T'es le plus fort!

— J'ai bien fait de ne pas le rattacher, finalement! dit fièrement Norbert.

Puis le petit groupe rentra tranquillement dans la maison.

En début de soirée, Artémissia jeta un coup d'œil dans le jardin de l'entrée et remarqua ses parterres de fleurs piétinés. Elle appela Miette pour avoir une explication car elle savait que sa fille cadette avait joué seule un moment dans le jardin. Et Miette, n'ayant pas encore six ans, ne se rendait pas toujours compte de la gravité de ses actes. Mais la petite sorcière raconta toute l'histoire de l'attaque. Histoire que confirmèrent Norbert et Arthur, témoins de la scène. Artémissia se mit à nouveau en colère vis-à-vis des trois méchantes petites sorcières. Il était plus que temps qu'elles soient punies.

Tibor, après avoir travaillé une bonne partie de la soirée, semblait satisfait de ses travaux sur les sorts de lévitation et pensait qu'ils fonctionneraient à merveille. Les tests seraient effectués directement à l'Académie, dans la salle des nouveaux sortilèges, une salle faite spécialement pour les expériences magiques qui parfois tournaient mal! Il restait encore quelques petites retouches sur lesquelles il travaillerait après le coucher de ses filles et le tour serait joué.

Durant la nuit, Harmonie se tourna et se retourna dans son lit, ne parvenant pas à trouver le sommeil. Il devait être bien plus de minuit et des images se mélangeaient sans cesse dans sa tête. Cassandre qui la menaçait :

— Tu vas payer pour ce que tu as fait, sale menteuse!

Ou encore sa mère dans son bureau à l'école :

— Ta maîtresse m'informe que tu dors en classe… ma fille en train de se battre avec une autre élève. Je suis très déçue, Harmonie. Vraiment très déçue!

Harmonie se redressa et ralluma la lumière. Elle savait qu'à cause de sa bagarre avec Cassandre, elle n'arriverait pas à s'endormir. Elle ouvrit ses volets et

s'accouda sur le rebord de la fenêtre pour observer la nuit. Quelques chauves-souris furetaient dans les arbres de la rue. Une chouette hululait au loin, sans doute prête à bondir sur une proie.

Soudain, un mouvement furtif attira son regard vers l'autre côté de la rue. Elle crut voir du coin de l'œil quelque chose se déplacer sur le trottoir d'en face. Mais quand elle regarda plus attentivement, elle ne vit rien. Sans doute n'était-ce qu'un arbre poussé par le vent projetant une ombre dansante, pensa-t-elle. Ou simplement le fruit de son imagination.

Un souffle glacé s'engouffra dans sa chambre et la fit frissonner. Elle referma bien vite ses volets et regagna la chaleur de sa couette en espérant trouver enfin le sommeil.

L'instant d'après, quelque part dans le village, un éclair jaillit et s'engouffra par la fenêtre encore entrouverte d'une chambre d'enfant.

FIIIIIIIIIIIIIZZ !!

Le mystérieux jeteur de sorts s'était à nouveau éveillé et venait de faire une nouvelle victime…

CHAPITRE 7

SENS DESSUS
DESSOUS !

 A mère de Cassandre s'affairait dans la cuisine. Elle avait préparé son bol de chocolabulles, mais il commençait à refroidir et il ne restait déjà plus que les petites bulles avec lesquelles jouer. Cassandre n'allait pas être contente. Mais tous les matins, c'était la même chose.

— Cassandre ! Il est l'heure de se lever ! Tu vas encore être en retard et Rowena ne va pas tarder, lança-t-elle à travers la maison.

À l'étage au-dessus, la voix de sa maman fit sortir Cassandre des vapeurs du sommeil. La pièce était plongée dans la pénombre. Ses volets mi-clos ne laissaient passer qu'un maigre rai de lumière.

D'une main, elle chercha à tâtons sa lampe de chevet, mais elle avait du mal à la trouver. De l'autre, elle se frotta les yeux en se rappelant la nuit difficile qu'elle venait de passer.

S'endormir avait été très facile. L'idée qu'Harmonie se soit fait punir, elle qui était pourtant la chouchoute de la maîtresse, lui avait apporté une grande satisfaction. Elle avait fermé les yeux paisiblement.

 111

Plus tard, elle avait repensé à l'attaque du dragon dans le jardin de ses ennemies jurées, puis au fait qu'elle n'avait heureusement pas été la victime du terrible sort qui avait transformé la tête de son amie.

Ses rêves avaient été troublés par le mélange de toutes ses images et elle avait finalement dormi par à-coups, d'un sommeil peu réparateur.

— Cassandre ! Dépêche-toi, ça va refroidir !

— Gn'arrive maman, bredouilla la petite sorcière.

Cassandre trouva enfin l'interrupteur de sa lampe de chevet. Elle appuya sur le bouton tout en se libérant de ses draps bien bordés et… Horreur ! Elle hurla de panique en tombant dans le vide. Elle se raccrocha de justesse à ses draps.

— Maman !! AU SECOUUUUUURS !!

Sa mère, en entendant les cris, courut à toute vitesse dans l'escalier et se précipita dans la chambre de la fillette. Elle cria à son tour en découvrant la scène : le lit de Cassandre n'était plus à sa place habituelle dans le coin gauche de la pièce. Il était comme cloué au plafond, ainsi que la table de chevet ! Et Cassandre était accrochée à ses draps, suspendue dans le vide, à un bon mètre du sol.

Cassandre, aidée par sa maman, parvint finalement à se décrocher de ses draps et retrouva avec bonheur le contact du sol sous ses pieds. Elle

tremblait comme une feuille d'arbre en hiver et voulut s'allonger de tout son long sur la moquette et ne plus en bouger. Mais quand elle regarda en l'air et qu'elle vit son lit et sa commode, elle eut le vertige et la sensation d'être elle-même au plafond, regardant sa chambre de haut. Elle décida que la position assise était la plus confortable et elle se cala dans un coin, en vérifiant qu'aucun objet risquant de chuter à tout moment n'était suspendu au-dessus de sa tête. Mais à l'évidence, son mobilier était bien accroché !

Sa mère, continuant à fixer le plafond, était très étonnée. Aucun sort n'était en mesure de soulever une telle charge, tout le monde le savait !

Cassandre, après avoir repris ses esprits, lui dit qu'elle se trompait peut-être. Quelqu'un, la veille au soir, devait justement travailler sur la question.

Cassandre et ses parents sortirent en trombe de chez eux, tombant nez à nez avec Rowena venue chercher sa camarade de classe. Expliquant le problème dans les grandes lignes à Rowena, cette dernière se chargea d'aller chercher ses parents ainsi que la famille de Mirabelle. Une fois tous réunis, leurs pas les menèrent vers la maison de Miette et d'Harmonie pour tenter d'obtenir des explications.

Dans la cour de la maison, leurs deux parents en affrontaient six.

— Au plafond, dites-vous ? s'amusa un peu Tibor en imaginant la scène.

— Oui, tout ! Son lit, son bureau, son armoire… Même le chat ! cria la mère de Cassandre. La pauvre bête n'ose plus monter sur le moindre meuble, désormais !

— Et qu'est-ce qui vous fait croire que j'ai quelque chose à voir là-dedans, je vous prie ? reprit Tibor sur un ton ironique.

— C'est bien sur un sort de lévitation que vous travailliez hier soir, non ? l'interrogea la mère de Cassandre, excédée.

— Ha ! Ha ! En effet, répondit-il avec enthousiasme. Mas je ne présenterai ce sort à l'Académie que cet après-midi ! En attendant, je suis rassuré, il fonctionne !

— Comment pouvez-vous rire alors qu'un mystérieux jeteur de sorts s'attaque à nos enfants ? éructa la maman de Cassandre, outrée par une telle attitude. On voit bien qu'Harmonie n'a pas été touchée, elle !

Tibor changea immédiatement de ton. La mère de Cassandre venait de dire la phrase de trop.

— Harmonie n'a peut-être jamais été touchée par un sortilège comme votre fille ou comme Mirabelle hier, mais cela arrive tout le temps à Miette, à cause de VOS enfants. Alors épargnez-moi votre sermon !

Miette arriva à ce moment-là, encore en pyjama et portant ses chaussons dragon. Elle toisa un instant les trois méchantes petites sorcières réunies devant elle. Du haut du palier de l'entrée, elle n'avait pas peur d'elles. Elle retira d'ailleurs un de ses chaussons et s'amusa à l'agiter en direction des trois fillettes. Ces dernières reculèrent d'un pas un peu apeurées car le message était clair : « Continuez à m'embêter et j'appelle mon dragon ! »

— Mais dites-moi, reprit Tibor, soudain préoccupé par quelque chose. Comment pouvez-vous être au courant du sort sur lequel j'ai travaillé hier soir ?

— Hum… Ma fille a… entendu le message que vous avez reçu, répondit la mère de Cassandre soudain très gênée. Mais là n'est pas la question ! conclut-elle d'un geste de la main pour chasser les doutes de Tibor.

— Au contraire, poursuivit ce dernier en se penchant vers les trois petites pestes. C'est peut-être ici qu'il se cache, ce fameux « jeteur de sorts » !

Les parents des trois fillettes furent outrés.

— Comment osez-vous ?! cria le père de Mirabelle.

— Ma fille aurait jeté des sorts à ses deux meilleures amies ?! Mais c'est ridicule, ajouta la maman de Rowena.

— Pourquoi aurait-elle fait une telle chose ? enchérit le père de Cassandre.

— On pourrait très bien imaginer qu'elles ont décidé de se jeter des sorts les unes les autres, justement pour faire accuser ma fille ! proposa innocemment Artémissia en les défiant du regard.

Un silence gêné s'installa devant la maison. Une telle raison était absurde et pourtant… On savait ces trois petites sorcières capables de tout.

Harmonie apparut à son tour sur le pas de la porte, derrière sa mère. Elle frottait ses yeux encore bouffis de sommeil. Tous les regards se tournèrent alors vers elle.

— Qu'est-ce qu'il se passe ici ? Pourquoi tout le monde crie ? demanda Harmonie à son papa, avec une voix pâteuse.

— Ce n'est rien, ma chérie. Laisse papa régler ça.

— Seul un adulte aurait eu assez de puissance pour tisser un tel sort et vous le savez bien !! reprit le père de Cassandre. Un adulte, ou un enfant qui aurait dépensé beaucoup d'énergie, dit-il en appuyant son regard sur Harmonie.

— Qu'êtes-vous en train d'insinuer ? interrogea Artémissia choquée de l'allusion qu'elle avait très bien comprise.

Rowena se sentant en sécurité entourée de tous ces parents en colère, s'approcha de sa camarade de classe à moitié endormie.

— Alors, Harmonie ? Bien dormi ? Mieux que la nuit dernière ? On dirait que tu as fait autre chose que dormir, cette nuit. Comme défendre ta petite sœur, par exemple ! Ça doit être épuisant de tisser tous ces sorts de grands deux nuits de suite !

Harmonie resta sans voix devant de telles accusations. Elle écarquilla les yeux, sans pouvoir répondre.

— C'est pas vrai, d'abord ! C'est pas Nini qui fait la vilaine magie ! hurla soudain Miette, au bord des larmes. T'as pas le droit de l'accuser !

— Miette, reste en dehors de tout ça ! intervint alors Artémissia. Nous devons avoir une explication avec ta grande sœur.

Artémissia posa un genou à terre pour se mettre à la hauteur de son aînée. Harmonie baissa le regard et sa maman lui souleva délicatement le menton pour qu'elle puisse la regarder droit dans les yeux.

— Harmonie, ma chérie… Dis-moi qu'ils se trompent. Pourquoi n'as-tu pas dormi la nuit précédente ? Pourquoi as-tu dormi en classe ? Que fais-tu donc, toutes les nuits ?

Harmonie jeta un bref coup d'œil à sa petite sœur. Miette séchait les larmes qui venaient de perler aux coins de ses yeux et capta le regard désolé de sa grande sœur. Elle se mordilla la lèvre et Harmonie baissa à nouveau la tête sans dire un mot.

— Voilà un silence éloquent, ironisa le père de Rowena. Nous l'avons trouvé, notre « mystérieux jeteur de sorts ».

— Harmonie, non… se désola sa maman.

Tibor avait assisté à la scène, médusé. D'abord amusé, il avait soudain eu les épaules qui s'étaient affaissées en découvrant ce qui semblait être la vérité sur sa fille. Il l'avait regardée sans comprendre. Comment la jeune fille qu'il avait éduquée avait pu commettre de tels actes ?

Il se ressaisit immédiatement. Non, il n'avait pas le droit de penser ça de sa fille. Il la connaissait mieux que quiconque et SAVAIT que ce n'était pas elle la coupable. Une fois encore, il ne s'agissait que de suppositions et de silences d'enfant. Il n'y avait aucune preuve véritable. Tant que le ou la coupable n'est pas découvert, Harmonie est innocente, un point c'est tout ! s'obligea-t-il à penser.

— Je vous suis, lança-t-il ensuite à l'attention des parents de Cassandre. Je vais réparer les dégâts dans la chambre de votre fille, puisque j'en suis à priori responsable.

Tout le petit groupe quitta l'entrée de la maison et disparut derrière la haie. Arthur la citrouille, du haut de son muret, les regarda s'éloigner.

Artémissia vint s'assoir sur les marches devant l'entrée. Harmonie, dans son dos, s'approcha timidement d'elle. La petite sorcière était terrorisée à l'idée d'être repoussée par sa mère.

— Maman, tu sais que ce n'est pas moi, n'est-ce pas? implora-t-elle.

— Je… Je ne sais plus qui croire, Harmonie. Comprends-moi, il y a beaucoup de coïncidences troublantes. File dans ta chambre, s'il te plaît, demanda-t-elle dans un murmure.

— Mais maman…

— Obéis! lança Artémissia bien plus fort qu'elle ne l'aurait voulu.

Harmonie repartit en sanglots. Elle retourna dans sa chambre et fondit vraiment en larmes, le visage dans son oreiller.

Miette rentra elle aussi dans la maison, mais se retourna vers sa maman avant d'aller rejoindre sa sœur.

— T'es pas gentille! Harmonie, elle a rien fait!

— Miette, attends, je…

Mais sa fille était déjà partie.

Artémissia, toujours assise sur la marche, avait le visage enfoui dans les mains. Les mots de colère d'une petite fille de cinq ans et demi étaient sans doute ce qu'elle avait connu de plus douloureux.

Miette, ses chaussons à nouveau aux pieds et sa peluche Boubou à la main, referma la porte de la chambre d'Harmonie derrière elle et grimpa sur le lit de sa grande sœur pour s'allonger sur elle de tout son long. Elle lui caressa les cheveux et lui fit un petit baiser sur l'épaule. Leur petit rituel du matin n'avait pas la même saveur aujourd'hui.

— Nini ? J'aime pas quand tu pleures. Ça me rend toute triste.

— Excuse-moi, Miette, répondit Harmonie en se retournant et en serrant maintenant sa sœur dans ses bras. C'est la faute de Rowena et des choses pas gentilles qu'elle a dites sur moi.

— Si tu veux, je te prête Boubou ! proposa Miette avec enthousiasme. Tu pourras lui faire plein de câlins ! Il adore ça et il est très gentil ! Je suis sûre qu'il te consolera !

— Hi hi ! C'est gentil, Mimi, répondit Harmonie avec un sourire timide et les yeux humides.

— Mais fais attention, Youki lui a mâchouillé les oreilles, alors il a un peu mal.

— Ce ne sont pas des oreilles, Mimi. Ce sont des aigrettes de plumes! répondit Harmonie, découvrant ainsi qu'elle avait retenu la leçon de sa maîtresse malgré sa sieste en classe.

— Des quoi? demanda Miette, n'ayant pas compris le mot bizarre à propos des plumes.

Harmonie se redressa d'un bond. Elle venait d'avoir un flash soudain!

— Le hibou! Mais bien sûr! C'est un chasseur nocturne! Il débusque ses proies à la lueur de la lune. Tu sais ce que ça veut dire, Miette?

— Ben... non! répondit la petite sorcière qui ne comprenait pas quelle mouche venait de piquer Harmonie.

— Cette nuit, je ferai comme Boubou, Miette! Je pars en chasse...

Elle fit une petite pause et brandit le poing, l'air déterminé.

— À la chasse au jeteur de sorts!!

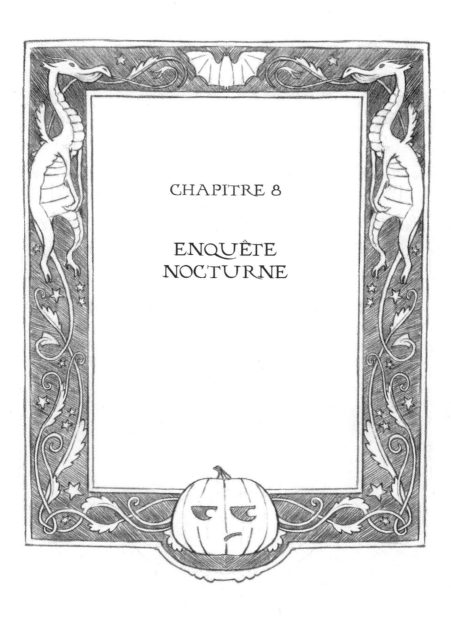

CHAPITRE 8

ENQUÊTE NOCTURNE

 A journée que Miette venait de pas-
ser n'avait pas été des plus joyeuses.
Elle s'était réveillée en entendant
les voisins arriver et accuser sa grande sœur de jeter
de vilains sorts. Plus tard, pas un mot n'avait été prononcé durant le petit déjeuner.

En fin de matinée, quand Tibor était rentré de la
maison de Cassandre, il avait décidé qu'Harmonie
resterait consignée à la maison pour la journée et
qu'il la garderait durant ce temps.

Miette était donc partie à l'école seule avec sa
maman, en boudant le plus fort possible pour que
cette dernière comprenne bien son mécontentement.

À l'école, Mirabelle, Cassandre et Rowena avaient
pris soin de dire du mal d'Harmonie en racontant
toute l'histoire et ça avait pris une certaine ampleur.
Aux récréations, on ne parlait que de ça. Les autres
élèves qui croyaient à cette version, ou plutôt qui
ne voulaient pas contrarier Rowena, s'étaient donc
un peu moqué de Miette à travers la grille séparant
les deux cours, en lui disant que sa grande sœur
était une méchante sorcière. Ceux qui avaient dit ça

s'étaient fait réprimander, mais Miette avait quand même pleuré une bonne partie de l'après-midi.

Le soir, elle avait enfin retrouvé Harmonie, mais avait compris qu'elle non plus ne s'était pas vraiment amusée de la journée. Alors, elle était finalement montée se coucher en espérant vite oublier cette journée ratée.

Miette dormait à poings fermés, au sommet de sa tour, sa peluche Boubou serrée contre elle. Toute cette agitation l'avait beaucoup fatiguée et les petites siestes qu'elle faisait d'ordinaire l'après-midi commençaient à lui manquer.

Quelques étages plus bas, dans la chambre d'Harmonie, c'était une tout autre histoire. La nuit était enfin tombée et la petite sorcière quitta sa chambre, peu avant vingt-deux heures. Elle ouvrit discrètement sa porte et traversa le couloir en direction de l'entrée où son balai était accroché. Elle devait faire attention car ses parents n'étaient pas encore couchés et s'affairaient encore dans le jardin, éclairés par quelques lucioles-lanternes apprivoisées. Ils pouvaient rentrer et tomber sur elle d'une minute à l'autre.

Elle arriva à pas feutrés, guettant le moindre mouvement de ses parents et parvint à atteindre l'entrée sans être découverte. Ouf! Elle écouta brièvement à travers la porte et surprit la conversation de ses parents.

Sa maman était visiblement très mécontente de ses parterres de fleurs écrasés depuis la veille. Des gobe-mouches aux plans de mandragore, tout avait été piétiné. Elle devrait tout replanter pour pouvoir à nouveau préparer ses onguents et ses décoctions médicinales, et cela la contrariait beaucoup.

C'était une sorte de tic chez elle : quand elle était contrariée par quelque chose, elle se mettait à jardiner. C'était sa façon à elle de réfléchir, de faire le point et de se calmer. Le papa d'Harmonie promit à sa femme de travailler toute la soirée à un sortilège pour redonner vigueur à ses plantes. Il n'aimait pas voir sa femme triste et en colère, et il était prêt à tout pour la consoler.

Harmonie décolla son oreille de la porte, décrocha son balai et partit en sens inverse. En se retournant, elle buta dans un obstacle qui tomba à la renverse en étouffant un cri.

— Ouch! dit la « chose » en se mordant les lèvres.

— Norbert?! Mais qu'est-ce que tu fais là? murmura Harmonie avec un mélange de surprise et de panique.

— Je… C'est une longue histoire…

— Silence ! intima Harmonie en posant son index sur sa bouche.

Elle tendit à nouveau l'oreille pour s'assurer que ses parents n'avaient rien entendu de leur bousculade. Après quelques secondes de silence, elle se détendit un peu et aida le balai majordome à se redresser.

— Hum… Je crois que nous sommes deux fugueurs, dit Norbert. Je ne dirai rien sur ton escapade nocturne si tu en fais autant pour moi.

— C'est promis ! Mon affaire de jeteur de sorts est trop importante. Et puis tu es un grand garçon, tu as le droit de faire ce que tu veux !

— Par contre, tu veux bien m'ouvrir la porte de derrière s'il te plaît ? lui demanda-t-il, l'air un peu penaud. Je n'arrive pas à atteindre la clef.

Tous les deux se dirigèrent vers la cuisine puis dans le cellier, dont une des portes donnait sur l'arrière de la maison. Harmonie tourna la petite clef en métal tout doucement, pour faire le moins de bruit possible. Elle retint le loquet de justesse, actionna lentement la poignée puis saisit le battant de la porte. Elle savait qu'elle avait une fâcheuse tendance à grincer si on l'ouvrait trop grand.

Norbert se glissa en premier dans l'interstice que venait de créer Harmonie. Elle le suivit de près et, une fois la porte refermée, elle enfourcha son balai volant, prête à mener son enquête. Norbert la regarda s'envoler en espérant sincèrement qu'elle trouverait ce qu'elle partait chercher.

Il fit le tour de la maison sans bruit et s'arrêta dans l'ombre d'un angle, arrivant aux abords du petit jardin devant la maison. Il attendit plusieurs minutes qu'Artémissia et Tibor, encore en train de discuter autour des plantes écrasées, veuillent bien rentrer dans la maison.

Quand ce fut fait, il prit une grande inspiration et s'élança sur le petit chemin en pierre de l'entrée de la maison en passant devant Arthur, qui somnolait sur sa colonne. Puis il traversa la rue d'un pas volontaire. Dans le manoir d'en face, aucune lumière ne filtrait entre les volets clos.

— Allez, du courage ! pensa-t-il en arrivant sur le palier du manoir d'en face.

Du manche, il frappa doucement à la porte.

— Douce princesse ? Vous êtes là ? chuchota-t-il. C'est Norbert, votre voisin d'en face.

Comme il n'y eut aucune réaction, Norbert décida de faire le tour du manoir afin de trouver une éventuelle entrée dérobée. Plusieurs minutes durant, il scruta chaque côté du bâtiment à la recherche de la moindre lucarne entrouverte, de la moindre porte de cave non verrouillée. Mais rien. Le manoir était impénétrable.

Soudain, surgissant de nulle part, l'ombre terrifiante qui hantait ces lieux fondit sur lui et Norbert hurla de panique.

— Tu cherches quelqu'un, minus? tonna l'ombre de sa voix grave et effrayante.

L'ombre était en fait un énorme balai très large, avec des sourcils épais et broussailleux au-dessus d'yeux maléfiques. Norbert était tétanisé. Le méchant balai le frappa au visage, puis le fit tomber du perron. Norbert s'étala de tout son long dans l'herbe, le souffle court. Il souffrait de partout.

— Rustre! bredouilla-t-il. Ça ne se passera pas comme ça! Je… Je me vengerai!

— C'est ça, répondit le méchant balai avec dédain.

Ce dernier tourna les talons et disparut à l'angle du manoir.

Norbert resta assis dans l'herbe un moment, tentant de reprendre ses esprits. Puis il se releva avec difficulté, éprouvant une douleur certaine dans le manche. Il rampa plus qu'il ne marcha vers le portail et, arrivé là, il se retourna une dernière fois vers le manoir, les yeux plein de désespoir. Enfin, il retourna sur les marches de sa maison, ne remarquant pas le mouvement de rideau à la fenêtre du manoir en face de lui.

Quelqu'un, de là-haut, avait vu toute la scène.

Harmonie survolait le village en prenant soin de se dissimuler dans l'ombre des arbres ou des maisons hautes pour ne pas être vue. Elle se retourna vers sa maison pour être sûre qu'elle n'était pas suivie, mais ne vit que la tour de Miette au loin qui dominait le village. Elle ne nota rien d'anormal.

— Mirabelle a été attaquée la première il y a deux nuits. Il doit bien rester des indices… Dans les livres, les détectives trouvent des traces de pas, des emballages de bonbons… Quelque chose !

Elle atterrit doucement sur le toit de la maison de Mirabelle, sortit sa loupe et chercha tout ce qui pouvait ressembler à un indice. Mais après de longues minutes à observer chaque tuile et à ne faire que déranger les chauves-souris dans leurs vols nocturnes, elle ne trouva rien de concluant.

Elle descendit plus bas et fouilla les arbustes, parcourut toute la pelouse avant de se rendre à l'évidence. Il n'y avait pas le moindre indice par ici.

— J'aurai peut-être plus de chance chez Cassandre, se dit-elle.

Elle enfourcha à nouveau son balai et reprit son vol en direction de la maison de Cassandre.

— Cette nuit non plus, je ne vais pas dormir, ironisa-t-elle. Maman ne va pas être contente…

Mais chez Cassandre hélas! malgré de longues minutes de recherches, elle ne trouva pas plus d'indices.

C'était très contrariant!

Harmonie se laissa glisser jusqu'à un banc public, à l'abri des regards indiscrets. S'asseoir un instant était la meilleure façon de faire le point et pour trouver une faille à explorer.

— Réfléchis, Harmonie. Réfléchis! se dit-elle, assise sur son banc. Comment attraper ce mystérieux sorcier et prouver ainsi mon innocence?

Harmonie eut alors un début de solution. Prendre le jeteur de sorts la main dans le sac était la meilleure façon de prouver à ses parents qu'elle n'était pas coupable de ces méchants sortilèges. Il fallait donc réfléchir comme le jeteur de sorts et essayer de découvrir qui serait sa prochaine victime.

— Mirabelle a été attaquée la première nuit, Cassandre la seconde. Donc, logiquement, la prochaine, c'est Rowena! Et s'il jette un sort chaque nuit, la prochaine attaque aura lieu… d'ici quelques minutes ! Vite !

Après un bref vol en balai, Harmonie arriva aux abords de la maison de Rowena, surveillant encore et toujours ses arrières. Elle atterrit enfin et se dirigea vers la maison en cherchant du regard la meilleure cachette possible pour voir sans être vue. Mais, tandis qu'elle fouillait dans un buisson, une voix résonna dans son dos, la figeant sur place.

— Harmonie ?! Mais que fais-tu là ?

Harmonie se retourna et découvrit sa maîtresse sur le perron de la maison d'en face, faiblement éclairée par une lanterne accrochée au plafond. Le balai majordome de la maîtresse s'affairait non loin.

— Euh… Bonsoir, maîtresse, bredouilla la petite sorcière.

— Mais enfin, que fais-tu debout à cette heure-ci, en train de rôder autour de la maison de Rowena, en plus ?! gronda la maîtresse.

— C'est ce mystérieux jeteur de sorts, madame. Je me disais que si j'arrivais à le retrouver, ma maman serait rassurée…

— Je suis certaine que ta maman préférerait te savoir au lit et non en train de fureter dans la nuit ! Tu as dormi en classe hier ; aujourd'hui, tu as raté un jour d'école à cause de ta punition… (Elle s'interrompit une seconde, surprise de l'air absent d'Harmonie.) Aurais-tu l'obligeance de m'écouter quand je te parle?

Mais Harmonie ne l'écoutait plus. Elle fixait intensément la grande baie vitrée de la maison de sa maîtresse dans laquelle se reflétaient les toits du village, la tour de Miette et la lune brillante. Le balai majordome passait et repassait devant et soudain Harmonie comprit toute l'histoire.

— Le jeteur de sorts!! Je crois avoir compris qui c'était! s'écria la petite fille. Au revoir, maîtresse! Il faut que je rentre chez moi tout de suite!

— Ah! Alors, tu m'as quand même écoutée un peu! Allez, file, jeune fille. Et demain, je veux te voir en pleine forme!

— C'est promis, maîtresse!

Harmonie remonta sur son balai et s'envola en direction de sa maison.

— Comment n'y ai-je pas pensé plus tôt? pensa-t-elle. Pour qu'un jeteur de sorts arrive à opérer sans laisser la moindre trace autour des maisons... c'est qu'il frappe à distance! Du coup, ça ne peut être qu'une seule personne. Mais je dois en avoir le cœur net!

Elle atterrit devant sa maison et découvrit Norbert, assis sur les marches du perron à soupirer. Il avait l'air tellement triste !

Harmonie vint s'assoir à ses côtés puis brisa le silence au bout de quelques instants.

— Norbert ? Je peux te parler ?

— Je t'écoute, Harmonie. Ton enquête s'est-elle bien passée ?

— Eh bien… Je suis allée chez Mirabelle et Cassandre et je pense avoir découvert qui était ce mystérieux jeteur de sorts. Il faut juste que je sois sûre de comment tout cela s'est passé. Il ne me manque qu'une preuve.

— Oh, c'est plutôt une bonne nouvelle pour toi, marmonna Norbert avec un air détaché, comme si cela ne l'atteignait pas plus que cela, visiblement trop préoccupé par autre chose.

— C'est que… Cela te concerne.

— Comment ?!

Norbert se redressa d'un coup et porta toute son attention sur les propos de la fillette. Elle lui raconta toute l'histoire et il comprit. Il se rassit finalement, l'air encore plus désespéré.

— Je suis désolé, lui dit-il pour seule réponse.

— Ce n'est pas grave, Norbert, je vais tout arranger, reprit-elle. Mais je sens bien que tu n'es pas tranquille. Tu veux m'en parler ?

— C'est difficile et sans doute un peu risible. Je ne sais pas par où commencer, dit le balai. (Il marqua une petite pause en jetant un bref coup d'œil au manoir d'en face, puis il inspira à fond et se lança.) Je suis amoureux, ma chère enfant. Mais ma dulcinée est retenue prisonnière d'un méchant balai très puissant et je ne sais comment y remédier.

— Comme c'est triste ! Mais je veux bien t'aider demain soir si tu fais quelque chose pour moi en retour.

— Avec plaisir, Harmonie ! Tout ce que tu voudras !

— Voilà ce que nous allons faire...

Elle se pencha à son oreille et lui murmura tout son plan. Norbert le mémorisa et la remercia chaleureusement. Tout allait enfin s'arranger !

Ils rentrèrent dans la maison encore plus discrètement qu'ils en étaient sortis. Harmonie déposa son balai volant à la place exacte où elle l'avait pris et traversa le couloir jusqu'à l'escalier du sous-sol. Norbert la suivit un instant avant de rejoindre son placard.

— Merci, Harmonie. Et encore toutes mes excuses pour tout ça...

— C'est oublié, ne t'inquiète pas. Allez, je vais tâcher de voir sur quel sort papa travaille ce soir.

Harmonie croisa Youki dans son panier qui secoua son gros arrière-train, tout content de voir sa petite maîtresse venue lui faire un câlin. Mais en se secouant, il fit vibrer l'épaisse chaîne accrochée à son collier. Harmonie s'approcha donc de l'animal et lui intima l'ordre de se calmer. Sa voix était un murmure doux et rassurant. Youki cessa aussitôt ses gesticulations et se rendormit aussitôt.

Harmonie descendit les marches menant à l'atelier de son père une à une, après avoir enlevé ses chaussures pour éviter tout grincement qui pourrait la trahir. Elle pencha la tête vers la grande pièce plongée dans la pénombre et découvrit Tibor en train de manipuler une petite plante verte.

— Grimpépouss!

Vrouf!

La plante grandit d'un seul coup jusqu'au plafond. Son papa avait l'air satisfait.

Du coin de l'œil, avant de remonter, elle aperçut avec satisfaction l'indice qui lui manquait pour résoudre tout le mystère. Tout allait pouvoir s'arranger! Elle eut un léger sourire en coin et remonta l'escalier en direction de sa chambre.

Elle se faufila sous sa couette et ferma les yeux.

— À demain, chère Rowena, pensa-t-elle, le sourire aux lèvres.

La nuit étant déjà bien avancée et ayant beaucoup de sommeil à rattraper, Harmonie n'eut aucun mal à s'endormir.

Dans son placard à balais, Norbert se représenta le doux visage de sa bien-aimée. Avec l'intervention d'Harmonie, il avait retrouvé espoir.

— À demain, chère princesse, pensa-t-il.

Mais au même moment…

FIIIIIIIIIIIIZZ !

Quelque part dans le petit village de Pamprelune, un nouvel éclair de magie jaillit dans la nuit et une petite fille fut touchée par le nouveau sortilège.

Le jeteur de sorts ne semblait pas être près de s'arrêter.

CHAPITRE 9

SORTILÈGES
ET PLANTE
GRIMPANTE

 AAAAAAAAAAAH !!

Ce mercredi matin, à l'aube, le cri de Rowena résonna dans tout le quartier. Les enfants du voisinage encore endormis (il n'y avait pas école aujourd'hui) se réveillèrent en sursaut. Leurs parents, quant à eux, se précipitèrent sur leurs volets et les ouvrirent en grand. Ils tentaient de comprendre d'où avait pu provenir le cri terrifiant qui venait de les réveiller. Ils ne durent pas chercher bien longtemps.

La maison qui faisait l'angle avait été envahie pendant la nuit par une immense plante grimpante, dévorant la moitié de la façade. C'était comme si la chambre de Rowena débordait d'un trop plein de verdure et qu'elle le déversait par ses carreaux cassés.

Les parents de Rowena eurent un mal fou à ouvrir la porte de la chambre de leur fille, tant elle était prise dans les feuillages. Des racines fines et entre-lacées enserraient les gonds. Enfin, ils dégagèrent le battant et découvrirent leur fille suspendue au milieu de la pièce, prisonnière d'un cocon végétal.

— Papa ! Maman ! Au secours !! Je n'arrive plus à respirer !

Le père de Rowena se précipita dans leur abri de jardin et sortit le plus gros sécateur qu'il put trouver. Avec difficulté, il s'attaqua au cocon de verdure qui engloutissait sa fille et le tailla avec délicatesse, pour ne pas la blesser. Au prix de gros efforts et d'une extrême prudence, il parvint enfin à la libérer. Il guida Rowena dehors pour qu'elle puisse respirer plus librement. Il en profita pour lever les yeux sur la façade et constata l'étendue des dégâts…

Un pan du toit avait été touché et de nombreuses tuiles avaient été soulevées par les pousses entortillées. Il y aurait une grande partie de la toiture à refaire entièrement. Sans compter la cheminée qui avait été délogée et qui pendait tristement sur le côté de la maison, accrochée à d'épaisses lianes, comme un pendule immobile.

— Qui a bien pu faire une telle chose ? lança-t-il à haute voix sans attendre de réponse de la part de qui que ce fût.

— Je crois que j'ai une petite idée, répondit quelqu'un dans son dos.

— Maîtresse ?! s'écria Rowena en voyant s'approcher sa voisine d'en face.

— Vous… Vous savez qui est responsable de ce désastre ? s'étonna le père de Rowena.

— Oui. Et la réponse ne vous étonnera pas…

Les parents de Miette et d'Harmonie étaient désormais devant chez Rowena à contempler l'immense lierre qui avait englouti un bon tiers de la maison.

— Mon sortilège ?! constata Tibor avec surprise.

— Voilà ce que votre fille a fait, cette fois ! J'espère que vous êtes fier ! l'attaqua le père de Rowena.

— Impossible ! Elle est consignée dans sa chambre depuis hier et y est encore en ce moment, contre-attaqua Artémissia.

— Elle n'a pas respecté votre punition, intervint la maman de Rowena. Et cette fois, nous avons un témoin !

La maîtresse d'école d'Harmonie s'approcha alors de sa collègue et de Tibor avec un air désolé et leur conta toute l'histoire de la veille quand elle avait surpris Harmonie à fureter autour de la maison de Rowena.

— Je suis désolée, conclut-elle tristement. Je ne la pensais pas capable de tels actes de vengeance et encore moins aussi répétés.

— Je... Je vais lui parler, balbutia Artémissia, terrassée par l'affreuse vérité. Aide ces pauvres gens à reconstruire leur maison, dit-elle ensuite à son mari.

De retour à la maison, Artémissia pénétra dans la chambre d'Harmonie et la réveilla en lui touchant la joue.

— Harmonie ? Réveille-toi, s'il te plaît.

Harmonie sortit des brumes du sommeil avec difficulté et peina à se redresser. Elle se frottait les yeux, n'arrivant pas bien à se réveiller. Il était encore très tôt. Sa mère semblait s'impatienter.

— Excuse-moi, maman. Je n'ai pas beaucoup dormi.

— Encore ? Mais à quoi donc passes-tu toutes tes nuits ?!

— C'est que... Je voulais trouver un moyen de ne plus être accusée. De te prouver que je suis innocente !

— Je n'en peux plus de tous ces mensonges. Et Rowena qui s'est fait attaquer à son tour, cette nuit...

— Sa plante a poussé très haut, c'est ça ?

Sa mère resta interdite un instant devant sa fille. L'enfant qu'elle avait cru connaître était donc si différente de ce qu'elle pensait ?

— Tu savais ?! comprit-elle tristement. Alors c'est vraiment toi… Mais pourquoi, Harmonie ? Pourquoi fais-tu tout ça ? Quand on a des problèmes avec les gens, il y a d'autres solutions, tu sais ! Tu dois en parler aux adultes. C'est notre travail ! Pas celui de la magie et des sortilèges !

— Mais non, maman ! Je te promets que ce n'est pas de ma faute ! Ce n'est pas moi qui ai fait toutes ces vilaines choses, je te le jure !

Harmonie se blottit contre sa mère en lui entourant les épaules, mais Artémissia ne lui rendit pas son étreinte. Comment être tendre avec une enfant de dix ans qu'on ne reconnaît plus ?

— Une journée, maman. Je te demande une journée et je dirai à tout le village de qui il s'agit. Mais j'ai besoin d'être sûre !

— Harmonie, je n'en peux plus.

— Demain, tout est fini, maman. Je te le promets !

Artémissia se redressa comme un robot et se dirigea vers la sortie.

— Je ne sais plus quoi faire, Harmonie. Tu ne respectes même plus mes punitions. Tout ce qu'il me reste, c'est réduire ton espace de liberté pour que tu comprennes que tout acte a une conséquence. N'oublie jamais : quand on fait des bêtises, ça finit toujours par se retourner contre soi. Et alors il est

trop tard pour faire machine arrière et dire que l'on regrette.

Artémissia quitta la pièce sans se retourner.

La journée fut interminable pour chacun des membres de la famille.

Tibor dut s'absenter de son travail pour aider à réparer le toit de la maison de Rowena. Durant ce temps, ses travaux n'avançaient pas et il était certain que Maître Flamélio, aussi sage fût-il, ne verrait pas son absence d'un très bon œil.

Artémissia jardina tout l'après-midi. Pour elle aussi, le mercredi était normalement un jour de repos. Jamais la pelouse autour de la maison n'avait été coupée aussi court. Elle tondait, creusait, bêchait, mais ne trouva pas le calme qu'elle recherchait. En début de soirée, elle changea d'activité pour faire la cuisine. Au moins, les oignons bleus qu'elle coupait avec frénésie justifiaient les larmes qui lui coulaient le long des joues.

Une fois de plus, Harmonie fut consignée dans sa chambre. Elle pleura elle aussi longuement et dormit le reste du temps, pour rattraper ses heures de sommeil perdues et pour faire passer le temps.

Miette resta à la maison toute la journée à jouer seule ou avec Youki, mais sans grande conviction. Elle s'était ensuite réfugiée dans sa chambre pour bouder. Elle ne supportait pas l'idée que ses parents puissent soupçonner Harmonie d'être à l'origine de tout ce bazar dans le village.

Mais à Pamprelune justement, on commençait à se poser beaucoup de questions. Cela faisait trois fois déjà qu'une petite fille était victime d'un mauvais sort. Tous les soupçons se portaient sur une autre enfant du village, mais elle clamait son innocence avec tant de ferveur que le doute s'était installé.

Et s'il s'agissait de quelqu'un d'autre ? Et si un inconnu nourrissant de sombres projets s'en prenait aux petites filles du village ?

Tous les parents qui avaient une fille commençaient à avoir peur pour leur progéniture et on ne vit pas une seule enfant dans les rues. Ce jour-là, on croisait ses voisins sans oser les regarder. On se calfeutrait en fermant tous les volets, même si le soleil était encore haut. Et on attendait, angoissé, en espérant qu'il n'y aurait plus de nouvelle victime.

Certains villageois parlèrent de bruits suspects qu'ils avaient entendus depuis quelques jours, de sensations désagréables qu'ils avaient pu ressentir un soir, en rentrant chez eux. L'imagination des autres fit le reste.

En quelques heures à peine, on était passé d'une petite fille qui se venge de ses camarades de classe à un être maléfique s'en prenant aux demoiselles du village. La rumeur se propagea à une vitesse folle

Tibor et Artémissia tentèrent de rassurer tout le monde en leur affirmant que leur fille aînée comptait tout expliquer le lendemain matin. Mais peu de villageois les écoutèrent vraiment.

Norbert, quant à lui, trépigna tout au long de cette journée, attendant avec impatience que le soleil se couche enfin, pour mettre à exécution le plan qu'Harmonie avait prévu la veille.

Quand l'heure vint enfin, il était fébrile. L'opération « double sauvetage » allait pouvoir commencer…

En début de soirée, Miette quitta le salon où elle dessinait et regagna sa chambre, où elle chercha sa peluche Boubou un peu partout. Sous son lit : rien. Dans son coffre : rien non plus. Sur le balcon : encore moins. Où était-elle donc passée ?

Elle se souvint alors l'avoir posée le matin même sur sa table de chevet. Elle rentra dans la pièce en se précipitant sur son petit meuble et découvrit à la

place de sa peluche une petite tache suspecte. Aucun doute, c'était de la salive de dragon !

— Oh, non ! Youki ! Méchant dragon ! Il m'a encore volé mon Boubou !

Elle descendit le grand escalier en trombe, très en colère. Elle arriva au pied des marches pour ne trouver là qu'un panier vide et un collier détaché. Elle passa dans le salon, dans la cuisine, descendit même jusqu'à l'atelier de son papa, jeta un œil dans le jardin mais ne trouva aucune trace de l'animal.

— Mais où il est, ce gros nigaud ?

Croisant ses parents, elle leur demanda s'ils n'avaient pas vu l'animal ou sa peluche, mais ils répondirent que non.

— Encore ce satané Norbert qui ne ferme pas les portes, soupira Artémissia. Il va m'entendre, celui-là ! Mais d'abord, il est temps de passer à table.

Artémissia installait tout sur la table tandis que Tibor préparait un plateau-repas, au grand étonnement de Miette.

— Tu vas manger dans ton atelier, papa ?

— Non, ma chérie. C'est pour Harmonie.

— Nini, elle ne mange pas avec nous, alors ?

— Non. Elle aura le droit de revenir quand elle nous aura dit la vérité sur ces vilains sorts, lui répondit Artémissia avec une voix la plus calme possible.

— Mais elle n'a rien fait! C'est pas juste! hurla Miette en commençant à sangloter.

Son papa se précipita vers elle et l'enserra tendrement.

— Ce n'est pas si simple, Miette. Ta sœur est quelqu'un qui serait incapable de faire du mal à qui que ce soit, nous le savons bien. Mais nous voulons juste être sûrs. Et crois-moi, ce n'est pas toujours facile. Allez, mange, ma Minette.

Un peu plus tard, Miette regagna sa chambre, encore triste de ne pas avoir pu profiter de sa grande sœur de la journée.

— En plus, je ne peux même pas faire de câlins à Boubou avant de dormir! Youki me l'a volé, lança-t-elle à ses parents venus la border.

— Ne t'inquiète pas, ma chérie. Quand Youki aura l'estomac vide, il reviendra. Et Boubou avec lui, j'en suis sûre.

Les parents redescendirent l'escalier, passèrent un instant dans la chambre d'Harmonie pour l'embrasser pour la nuit et s'installèrent sur le perron, profitant de la fraîcheur du soir. Artémissia avait le regard dans le vague et ne disait pas un mot.

— Qu'est-ce qui ne va pas, ma chérie? lui demanda Tibor, inquiet.

— Tout! Harmonie dort en classe et se promène la nuit. Miette est triste de nous voir la gronder. Youki disparaît et Norbert est introuvable lui aussi! Je suis complètement perdue.

— Harmonie nous a promis de tout nous dire demain. Essayons de lui faire conf… Mais?!

Tibor se leva d'un bond. Artémissia fut très surprise. Son mari tendit le bras en direction de la petite colonne près du portillon d'entrée et tous les deux s'écrièrent d'une même voix :

— Arthur aussi a disparu!!

CHAPITRE 10

LE MANOIR
D'EN FACE

A lune était déjà haute quand Harmonie et Norbert se glissèrent hors de la maison pour se précipiter dans le jardin du manoir d'en face. Ils avaient attendu que les parents de la petite sorcière quittent enfin le devant de la maison pour pouvoir s'élancer dans la nuit.

Harmonie, perchée sur son balai volant, attrapa Norbert par le manche et s'envola avec lui jusqu'au toit du manoir. Arrivés au pied de la cheminée, Norbert commença à grimper dessus, prêt à descendre dans le conduit.

— Bonne chance ! lui souhaita la petite sorcière. Je me posterai devant la porte d'entrée. Essaie de trouver un moyen de l'ouvrir !

— Je suis terrorisé, Harmonie ! bredouilla le balai majordome.

— C'est normal. Mais le mal qui hante ce manoir doit être vaincu. Il faut libérer ta princesse !

— Tu as raison, dit Norbert en bombant la brosse. En avant !

Dans le salon principal du manoir et malgré l'heure tardive, une certaine agitation régnait. Le méchant balai lançait ses ordres à tous les balais et balayettes esclaves qu'il gardait sous son pouvoir.

— Dépêchez-vous, tas de fainéants ! Les maîtres vont rentrer d'une minute à l'autre et ce manoir est dans un état pitoyable ! Vous allez me nettoyer ça de fond en comble.

— À vos ordres, monsieur, balbutièrent les balais esclaves.

— Avec plus d'entrain, s'il vous… ?!

Le méchant balai fut interrompu dans sa phrase par un grondement sourd qui résonna dans la cheminée. Puis le grondement se transforma en cri perçant.

— Yiiiiiiiiiiihaaaaaa !!! fit Norbert en accompagnant son entrée fracassante par la cheminée, ramenant avec lui un énorme nuage de cendres et de poussière. Puis il se mit à tousser, étouffé par toute la suie qui virevoltait autour de lui.

La dame balai reconnut tout de suite le voisin d'en face, tandis que le méchant balai entra dans une rage plus noire que le charbon de la cheminée.

— De la suie ! Il a mis de la suie partout ! Le salon est sale ! Sale ! Les maîtres ne vont pas être contents, raaah !!

Le méchant balai fondit sur Norbert en hurlant toute sa rage à son visage. Il paraissait possédé.

— Pourquoi t'as fait ça, maudit balai?! Regarde dans quel état est le salon à cause de toi!! Maintenant, tu vas m'obéir pour nettoyer toute cette crasse!

— NON! réussit à hurler Norbert en tenant tête au méchant balai.

— Comment?! Et tu oses me répondre en plus? Tu es donc là pour souffrir! rugit le méchant balai, rouge de colère.

Le méchant balai lança une attaque, mais Norbert parvint à l'éviter en bondissant sur le côté. Le méchant balai, pris dans sa course, perdit l'équilibre et heurta le mur du fond.

Pendant ce temps, Norbert s'approcha de la dame balai et lui murmura quelque chose à l'oreille. Il se tourna ensuite vers tous les autres balais prisonniers, tandis que le méchant balai se relevait.

— Qui es-tu? Qu'est-ce que tu fais là? demanda ce dernier.

— Je viens libérer une jeune dame balai en détresse… ainsi que tous ses amis!

Le méchant balai se redressa soudain et sa colère s'accentua encore.

— Non! hurla-t-il à son tour! Du travail les attend! Je t'interdis de faire ça!!

— Tu vas les achever à les faire travailler jour et nuit! C'est de la folie!!

Norbert ne vit pas l'attaque venir. Le méchant balai s'accroupit d'un coup, traversant de son manche la brosse de Norbert, puis il leva son manche en arrière, soulevant Norbert qui vint se fracasser contre le marbre de la cheminée avant de retomber lourdement. Un craquement sourd retentit et glaça la sève de tous les balais autour. Norbert, cloué au sol par la vive douleur, avait le manche à demi fêlé. Il était passé à deux doigts de se briser en deux.

— Et qui va m'en empêcher? ricana le méchant balai face à Norbert qui souffrait. Toi peut-être?

— Moi, non, balbutia Norbert en serrant les dents. Mais la puissante sorcière derrière la porte... Si!

Le méchant balai se pencha encore plus en avant, collant son visage très près de celui de Norbert.

— Et tu crois que je vais tomber dans un piège aussi grotesque? Tu n'atteindras plus jamais cette porte, mon pauvre ami.

— Elle est déjà ouverte! lança alors une voix humaine dans son dos.

— Mais qui...

Le méchant balai se retourna et découvrit la dame balai près de la porte d'entrée grande ouverte. Norbert n'avait été qu'une diversion ! Une fillette se tenait dans le cadre de la porte, la baguette magique à la main.

— Je crois qu'il est temps de faire le ménage ici, lança Harmonie avec ironie.

Elle pénétra dans la pièce en courant, prononça une formule magique avec un savant mouvement de poignet et le sort qui entourait le méchant balai se mit à briller.

— Balébross ! Pluféross !

Harmonie déroula le sort puis le retissa. Le méchant balai tomba face en avant, inconscient.

— Est-ce qu'il est… commença la dame balai en panique.

— Il dort, l'interrompit Harmonie. Son enchantement était assez ancien, et j'ai dû le renouveler.

Un enchantement était comparable à une écharpe invisible qui protégerait du froid de l'hiver. Quand un sorcier en tissait un tout neuf, bien noué, le sortilège entourait l'objet d'une bulle de magie qui lui permettait de prendre vie, de s'animer et de remplir la

mission qu'on lui avait confiée. Mais parfois le nœud se desserrait, l'écharpe de magie glissait et l'enchantement pouvait être endommagé ou rompu. L'objet enchanté « s'enrhumait » et perdait de sa magie. Alors on prononçait à nouveau la formule, parfois en renforçant l'enchantement, et tout rentrait dans l'ordre.

— Il a besoin de repos pour recouvrer ses forces, reprit Harmonie. J'ai appris ça à l'école en début d'année. Nous avons fait des exercices pratiques. Tu te souviens, Norbert ?

— Oh, oui ! dit-il en riant. Tes premiers sortilèges étaient tout timides, ça m'avait chatouillé de partout ! Mais tu es une élève douée, ça c'est sûr !

Harmonie le remercia pour le compliment puis se tourna à nouveau vers le méchant balai endormi.

— Depuis combien de temps était-il dans cet état ? demanda-t-elle à la dame balai.

— Ça fait très longtemps. Mais laissez-moi vous conter l'histoire en attendant qu'il se réveille.

Harmonie et Norbert s'installèrent dans un long divan très confortable pour écouter le récit de la demoiselle.

— Autrefois, c'était un balai serviable et très attentif. Comme nous tous, il adorait son travail et le faisait bien. Le manoir étant très grand, il y avait toujours à y faire. Il était rigoureux et organisé.

Mais il y a quelques années, les maîtres sont partis précipitamment. Ils semblaient avoir eu peur de quelque chose. Avant de partir, ils confièrent à leur balai une ultime mission sous forme d'un sortilège lancé trop vite.

— En attendant notre retour, fais tout ton possible pour garder le manoir propre ! lui avaient-ils demandé. Il leur promit qu'ils ne seraient pas déçus de son travail. Mais ils ne sont jamais revenus et la maison fut condamnée.

La solitude le rendit fou.

Le temps passa et fit son office sur le manoir. La poussière s'accumulait plus vite qu'il ne pouvait la chasser. Il commença à se dire que si ses maîtres ne revenaient pas, c'était parce qu'ils n'étaient pas encore satisfaits de la propreté de leur demeure.

Au bout d'un moment, il arriva à la conclusion qu'il ne pourrait pas s'en sortir tout seul. Alors, il trouva le moyen de s'échapper et enleva plusieurs balais dans les maisons voisines.

Il m'attrapa moi ainsi que quelques autres et nous promit de nous libérer une fois que le manoir serait propre.

Loin de ses maîtres, son enchantement s'est dégradé. Il était devenu complètement fou et nous n'avions plus aucun espoir. Nos enchantements aussi commençaient à présenter des signes de faiblesse. Il était plus que temps qu'un humain intervienne pour les renouveler. Mais vous êtes arrivés et nous avez libérés ! Vous êtes des héros !

— Allons, ce n'était rien ! dit fièrement Norbert en recevant un tendre baiser de la dame balai sur la joue.

— Mais, qu'est-ce que c'est que tout ce bazar ? s'écria soudain le méchant balai, avec une voix plus douce que d'habitude. Excusez-moi, braves gens, mais j'ai du ménage à faire ici ! dit-il en chantonnant.

Harmonie observa en souriant la danse du balai majordome. Il sautillait et gambadait au milieu du salon en dépoussiérant la pièce et en réunissant les cendres en de savants petits tas, avant de les jeter dehors. Tout était rentré dans l'ordre.

Harmonie répara la blessure de Norbert, renouvela les enchantements de tous les balais présents dans la pièce, puis se dirigea vers la sortie. La dame balai raccompagna le duo de sauveteurs jusque sur le pas de la porte.

— Qu'allez-vous faire désormais? interrogea la petite sorcière.

— Nous allons rester quelque temps pour aider notre ancien chef à nettoyer la maison, répondit la dame balai. J'ai entendu des humains tourner autour il y a quelques semaines. Ils comptaient racheter le manoir. Ensuite, nous retrouverons chacun nos foyers.

— Alors, vous allez me quitter? comprit tristement Norbert en baissant la tête.

— Jamais! lui assura-t-elle. Je fus la première à être emprisonnée ici et depuis tout ce temps, je pense que mes anciens propriétaires m'ont remplacée. (La dame balai se tourna vers Harmonie.) Mademoiselle, pensez-vous que vos parents accepteraient la présence d'une aide-ménagère supplémentaire?

— Je leur poserai la question demain, c'est promis. En attendant, Norbert et moi avons d'autres projets pour le reste de la nuit. Bonne chance et à très bientôt!

Norbert et Harmonie quittèrent le manoir en s'envolant. Ils atterrirent au milieu d'une clairière, celle-là même où Harmonie et Miette avaient pique-niqué quelques jours plus tôt.

— Ça paraît si lointain, pensa Harmonie en se remémorant ses promenades avec sa petite sœur.

Norbert s'installa près de Youki, qui les attendait là, attaché à un arbre, en train de mâchonner la peluche Boubou. Harmonie se pencha et ramassa la peluche avant de la fourrer dans son sac en bandoulière.

— Pardon, Youki, mais j'ai besoin de ça. Miette sera contente de retrouver sa peluche (une peluche qui dégoulinait à nouveau de bave de dragon)… même dans cet état !

Puis elle se tourna vers Norbert.

— Tu te souviens du plan ? lui demanda-t-elle.

— Oui ! Demain matin, à ton signal, on récupère Arthur là où tu l'as caché et on va tous au cimetière.

— C'est parfait ! Demain, tout le monde saura enfin qui est ce mystérieux jeteur de sorts !!

CHAPITRE 11

TOUTE LA VÉRITÉ, RIEN QUE LA VÉRITÉ !

E nouveau jour fut accueilli avec une certaine angoisse. Les parents ouvraient la chambre de leur enfant avec fébrilité, redoutant ce qu'ils allaient découvrir de l'autre côté de la porte. Mais au soulagement de tous, aucun enfant ne fut touché par un mauvais sort cette nuit-là.

Les villageois sortirent de leur maison pour se renseigner auprès de leurs voisins et pour savoir si tout allait bien. Ils se réunirent dans les rues et marchèrent ensemble en direction de la maison d'Harmonie et de Miette.

Mais quand ils arrivèrent, ils découvrirent Artémissia en pleurs, assise sur le perron. Sa cadette Miette, serrée contre elle, était également inconsolable.

— Que s'est-il passé ? hasarda l'un des voisins à son attention.

Tibor sortit de la maison à ce moment-là, avec tout son matériel de recherche sur le dos.

— Harmonie a disparu, répondit-il simplement.

Était-ce une fugue, ou bien le jeteur de sorts avait-il fait une nouvelle victime ? Ces questions étaient sur toutes les lèvres.

Tibor et Artémissia expliquèrent aux villageois qu'Harmonie prétendait connaître l'identité du jeteur de sorts et qu'elle avait l'intention de le révéler à tout le monde aujourd'hui même. Il était donc tout à fait possible que le coupable, ne souhaitant pas être percé à jour, l'ait fait disparaître avant qu'il ne soit trop tard pour lui.

— Nous devons organiser des recherches ! lança la maîtresse d'Harmonie au milieu de la foule.

— Bonne idée ! lui répondit un autre villageois.

— Ce ne sera pas nécessaire, dit alors une voix dans leur dos.

Toute la foule se retourna et découvrit une dame balai à l'entrée de l'immense manoir abandonné, droite et solennelle. Tibor et Artémissia s'approchèrent à vive allure pour lui faire face.

— Tu… Tu sais quelque chose ? interrogea Tibor.

— Tout vous sera révélé au cimetière, lui répondit simplement la dame balai.

Elle tourna les talons et s'engouffra dans le manoir, laissant les parents d'Harmonie abasourdis.

Tous les villageois se réunirent autour de l'immense kiosque aux balcons ouvragés qui tenait une place centrale dans le cimetière.

Il avait été construit bien des années auparavant pour accueillir le fameux orchestre qui joua une semaine durant aux funérailles d'Alban Pampre, l'arrière-grand-père de Miette et d'Harmonie. Depuis lors, il fut considéré que chaque défunt serait honoré à son tour avec de la musique, et qu'interpréter de longues mélodies en ce lieu était désormais considéré comme une profonde marque de respect. On disait même que la vibration des notes dans la terre accompagnait les esprits des anciens jusqu'aux étoiles.

Mais si d'habitude la foule marchait en silence dans les allées du cimetière, aujourd'hui elle semblait trépigner. Tout le monde attendait que ce mystérieux jeteur de sorts cesse enfin de s'attaquer aux fillettes du village.

Au départ, tous les soupçons s'étaient portés sur Harmonie. Les circonstances étaient contre elle et rien ne semblait pouvoir l'innocenter. Puis l'idée d'un jeteur de sorts extérieur avait germé et on avait fini par douter de la culpabilité de la petite sorcière. Sa disparition venait de mettre un point final aux doutes de chacun : quelqu'un d'autre s'attaquait aux fillettes du village. Il était méthodique et ne laissait aucune trace.

Cassandre, Mirabelle et Rowena attendaient dans un coin, non loin de leurs parents respectifs. Pour elles, il avait été évident qu'Harmonie était la coupable depuis le début. Mais si ce n'était pas elle, alors qui ?

Youki, Miette, Norbert et Arthur étaient à ranger du côté des sans magie. Qui restait-il ?

Tibor, son père ? Après tout, c'était lui-même qui avait inventé chacun des trois sorts dont elles avaient été victimes tour à tour. Il était sans doute en colère qu'elles s'en prennent sans cesse à Miette. Mais pour un membre de la Grande Académie des Sorciers, ce ne serait pas très professionnel !

Artémissia, sa mère ? Ça faisait quelque temps qu'elle cherchait une occasion de les punir toutes les trois pour le mal qu'elles avaient fait à sa fille dans la cour de récréation. Mais pour une directrice d'école, ce ne serait pas très sérieux non plus.

Ou alors, c'était quelqu'un d'autre. Quelqu'un qui ne s'était pas encore manifesté jusque-là ou qu'on avait oublié.

Depuis quelque temps, on parlait dans le village d'une ombre qui rôdait la nuit mais dont on ne trouvait aucune trace le lendemain. Certains villageois

affirmaient même que cette ombre était entrée dans leur maison mais n'avait rien emmené, si ce n'était leur balai majordome. Peut-être pour leur ordonner d'effacer ses traces après un cambriolage, conclurent les trois petites sorcières après en avoir longuement discuté entre elles.

L'heure tournait et la vérité se faisait attendre. Et si la dame balai avait menti ?

— Ça va être encore long ? demanda un des villageois qui commençait sérieusement à s'impatienter.

Tout cela ne le concernait que de très loin. Après tout, ses enfants à lui n'avaient été touchés par aucun sortilège et il avait du travail.

— J'espère que non et que nous aurons vite le fin mot de cette histoire, répondit la mère de Rowena.

Tibor et Artémissia sentaient la tension monter. Ils ne savaient plus quoi dire ni quoi faire pour faire attendre la foule qui était venue s'amasser autour du kiosque, et pour ne pas céder à la panique. Ils étaient là sur la seule parole d'une dame balai, tandis que leur fille aînée était peut-être en danger quelque part, à les attendre. Artémissia trépignait, prête à courir à la recherche de sa fille au moindre signal.

— Où es-tu, Harmonie ? se lamenta-t-elle.

— Je suis là, maman ! lança une voix au-dessus de sa tête.

Artémissia, comme le reste de la foule, leva alors les yeux vers le toit du kiosque où Harmonie se dressait, son balai volant à la main, dominant la foule. Elle avait choisi ce poste pour être vue et entendue par tous. Le silence se fit dans la foule et tout le monde était pendu aux lèvres de la fillette.

Miette, serrée contre sa maman, avait surtout peur que sa grande sœur ne tombe de là et se fasse mal.

— Bonjour à tous et merci d'avoir répondu à mon appel, commença Harmonie. Je vous ai réunis ici pour vous assurer qu'il n'y aurait plus d'attaque envers les petites sorcières. Car j'ai enfin découvert qui était ce mystérieux jeteur de sorts qui sévissait dans le village et j'ai tout fait pour l'empêcher de provoquer de nouvelles catastrophes !

— Oooooh ! lui répondit la foule à l'unisson.

— Il est temps que je vous révèle son identité, aussi surprenante qu'elle puisse être. Car le mystérieux jeteur de sorts qui a d'abord attaqué Mirabelle, puis Cassandre et enfin Rowena était en réalité…

Tout le monde retenait son souffle, tandis qu'elle marquait une pause pour plus d'effet dramatique.

— Miette !! clama-t-elle alors, en pointant sa petite sœur du doigt.

Tous les cœurs dans l'assistance manquèrent un battement à cette étonnante révélation.

— Moi?! s'étonna Miette. Mais je n'ai même pas de pouvoirs!!

Les trois petites sorcières qui furent touchées l'une après l'autre par de puissants sortilèges rirent aux éclats en découvrant la soi-disant coupable.

— Ce serait Miette qui m'aurait transformée en citrouille? s'amusa Mirabelle.

— Qui aurait mis ma chambre sens dessus dessous? renchérit Cassandre.

— Et qui aurait fait pousser ma plante aussi grand? ajouta Rowena.

— C'est vraiment n'importe quoi! conclurent-elles à l'unisson.

Artémissia n'en croyait pas ses oreilles. Depuis le début, elle ne voulait pas croire à la culpabilité de sa fille et ce, même si les preuves l'accablaient. Elle continuait d'espérer qu'Harmonie était incapable de commettre de tels actes. Et voilà que pour seule défense, celle-ci se mettait à accuser sa petite sœur qui, du haut de ses cinq ans et demi, n'avait aucun moyen pour se défendre. C'était odieux.

— Tu accuses ta sœur?! C'est très vilain, ça! Tu n'as donc rien trouvé de mieux?! Oh, Harmonie!

— Mais c'est la vérité, maman! Je suis vraiment désolée.

173

— Nini, c'est pas moi qui leur ai fait du mal! affirma Miette, l'air un peu triste.

Harmonie descendit de son perchoir et vint prendre sa petite sœur dans ses bras. Elle lui déposa un baiser sur le front puis s'écarta pour la regarder droit dans les yeux.

— Si, Miette. Mais ce n'est pas de ta faute. Laisse-moi t'expliquer, reprit-elle. Laissez-moi tous vous expliquer! scanda-t-elle à la foule.

Tout le monde s'installa plus confortablement pour écouter le récit de la petite sorcière…

— Tout d'abord, je souhaiterais revenir sur mon état de fatigue. Dans la nuit du dimanche au lundi, après le méchant sortilège qui l'a transformée en cha-ton, Miette est venue discrètement me voir dans ma chambre, car elle avait fait un cauchemar… et avait fait pipi au lit. Désolée, Miette.

— C'est pas grave, Nini, lui répondit Miette un peu honteuse, mais soulagée que personne ne se moque d'elle.

— Elle avait rêvé de magie et de citrouilles. Je suis donc montée dans sa chambre, je l'ai aidée à changer de draps et j'ai passé un petit moment avec elle pour la rassurer. C'est pour cela que le lendemain, j'ai dormi en classe.

Le lendemain matin, Mirabelle s'est réveillée avec le visage changé en citrouille. Dans la cour, je me suis battue avec Cassandre et je me suis fait gronder par ma maman. J'étais très triste et en colère et beaucoup de choses se bousculaient dans ma tête. Du coup, je n'ai pas très bien dormi non plus cette nuit-là...

Le mardi matin, Cassandre s'est retrouvée sens dessus dessous dans sa chambre et une fois encore, on est venu m'accuser directement chez moi ! À ce moment-là, je n'ai pas voulu révéler la raison de mon manque de sommeil à ma maman. Je ne voulais pas humilier Miette devant les parents de Mirabelle, de Cassandre et de Rowena à propos du pipi au lit du dimanche, et tout le monde a interprété mon silence comme un aveu.

Mais je voulais à tout prix savoir qui était ce mystérieux jeteur de sorts ! Je suis donc sortie en cachette le mardi soir pour trouver des indices autour des maisons de Mirabelle et de Cassandre, comme dans les romans policiers. Mais je n'ai rien trouvé.

Jusqu'à ce que je remarque quelque chose. Au début, je n'avais pas fait attention. C'était pourtant sous mes yeux depuis le début mais je n'avais rien vu. Et puis, devant chez la maîtresse, en voyant un reflet dans sa grande baie vitrée, j'ai eu le déclic ! De chacune des maisons, on voyait la tour de Miette ! Si le jeteur de sorts voulait ensorceler les filles, il pouvait

le faire à distance, de là-haut ! C'était l'endroit idéal pour viser tout le monde !

C'est là que j'ai commencé à soupçonner Miette. Je me suis alors posé des questions sur l'ordre des sortilèges. Le premier jour, Miette a été transformée en chaton et c'est Mirabelle qui s'est moquée d'elle. Miette était très en colère contre elle. C'était donc une vengeance personnelle.

Le deuxième jour, Cassandre m'a attaquée dans la cour de récréation, sous les yeux de tout le monde ! Cette fois, c'est moi qu'elle a voulu défendre.

Le troisième jour, Rowena est venue se moquer de moi le matin, m'accusant de vouloir défendre Miette. Miette a sans doute voulu prouver à sa manière que j'étais innocente !

Harmonie s'arrêta un instant. Les regards des uns et des autres se croisaient sans comprendre. Miette semblait confuse. On lui avait toujours dit que la magie se déclarait plus tard et voilà que sa grande sœur affirmait qu'elle avait des pouvoirs et qu'elle s'en servait la nuit, sans qu'elle n'en garde aucun souvenir. Si ce n'étaient des rêves étranges, maintenant qu'elle y repensait…

Artémissia se leva, troublée par ces étranges révélations.

— As-tu des preuves de ce que tu avances ? demanda-t-elle à son aînée. Car pour le moment, tu n'évoques que des hypothèses, des soupçons.

— Moi, non, lui répondit Harmonie. Mais lui, oui !

Elle leva le doigt et tous les regards en suivirent la direction.

— Youki ??? s'exclamèrent Tibor et Artémissia.

Au-dessus de leur tête virevoltait Youki, dirigé par Norbert, perché sur son dos. Le gros dragon rouge portait entre ses pattes avant Arthur, la citrouille boîte aux lettres.

Youki lâcha Arthur qui fit une petite chute de quelques mètres et atterrit dans les bras d'Harmonie.

— Arthur détient la preuve de tout ce que j'avance ! reprit Harmonie. Hier, j'ai fait croire à Miette que Youki avait volé sa peluche. C'est une des habitudes de notre dragon de compagnie et Miette est souvent fâchée à cause de ça. Durant la nuit, j'ai placé Arthur dans la chambre de Miette et j'ai allumé la bougie d'Arthur. Je l'ai laissé prendre un message visuel : les mouvements nocturnes de Miette. Voici le message enregistré !

Harmonie ouvrit le couvercle sur la tête d'Arthur et souffla la bougie allumée à l'intérieur. La petite flamme disparut et un filet de fumée s'échappa. Un

cercle de fumée se forma et se troubla, puis une image commença à se dessiner à l'intérieur…

Tout le monde découvrit avec stupeur ce qui s'était passé. On devinait Miette somnambule, se lever de son lit et se diriger vers son balcon. Elle ouvrit la fenêtre, tendit les mains devant elle, et après avoir bredouillé les mots « méchant Youki », elle agita ses mains et jeta devant elle des éclairs de magie brute. FIIIIIIIIIIIIZZ !!

Preuve était faite que Miette savait puiser la magie et était donc dotée de pouvoirs ! Mais apparemment, ils ne se déclaraient que la nuit, durant son sommeil. C'était un phénomène très rare.

— Comprenez-vous ? reprit Harmonie. Chaque fois que Miette a été en colère contre quelqu'un, elle lui a jeté un sort durant la nuit ! Ou du moins, elle a tenté de le faire.

— Mais ! Youki n'a été victime d'aucun sortilège ! s'exclama Mirabelle. Regardez-le, il est parfaitement normal !

Et c'était vrai. Youki ne semblait présenter aucune transformation particulière. Il paraissait même plutôt content que tout le monde se soit tourné d'un coup vers lui.

— Il y a une raison simple à cela. Regardez mieux l'image : regardez comment la magie qu'envoie Miette

se disperse très vite ! Cette fois-ci, Miette n'a fait que jeter de la magie brute dans l'air, sans prononcer de formule magique pour accompagner son geste.

En effet, dans l'image capturée par Arthur, la magie semblait mourir à quelques dizaines de mètres à peine de l'enfant, ce qui étonna plus d'un sorcier dans l'assemblée.

— Mais alors, comment avait-elle fait les fois précédentes ? interrogea Rowena.

— C'est là toute la clef du mystère ! reprit Harmonie. Comme chacun d'entre vous le sait, notre maison a appartenu à un ancien mélomane. Il avait fait installer des tubapapotes reliant chaque pièce entre elles.

Mais ce sont de véritables nids à poussière. Ma maman avait donc demandé à Norbert, notre balai majordome, de nettoyer ces tubapapotes. Mais à cause d'un événement qui lui a causé du souci, Norbert a été un peu distrait et a oublié de refermer le clapet reliant la chambre de Miette à l'atelier de notre papa !

Chaque nuit, Miette était donc bercée par la voix de notre papa et dormait en entendant les sortilèges qu'il était en train d'inventer ! Donner aux choses l'apparence d'une citrouille, faire léviter des charges lourdes et faire pousser très vite une plante !

Miette ayant des pouvoirs magiques nocturnes, elle n'a plus eu qu'à s'en servir après avoir entendu les formules durant son sommeil. Mais la nuit dernière, j'ai fermé ce clapet ! Elle n'a donc pas entendu de formule magique et n'a ainsi pas pu jeter de sortilège à Youki, malgré sa tentative !

Voilà toute l'histoire !

Toute l'assemblée était abasourdie. Le cimetière avait retrouvé le silence respectueux qui y régnait d'habitude. Puis Maître Flamélio se leva à nouveau et se mit à applaudir, bientôt suivi par un homme à droite, puis une femme à gauche et enfin tout le monde applaudit Harmonie et son incroyable sens de déduction.

Les villageois quittèrent le cimetière avec la certitude que plus aucun méfait ne viendrait troubler la paix qui régnait à Pamprelune.

Harmonie, Miette et le reste de la famille rentrèrent tous ensemble à la maison et purent à nouveau savourer la joie de passer une journée agréable en famille. L'école avait été fermée pour la journée, mais rouvrirait dès le lendemain.

— Alors, comme ça, ce mystérieux jeteur de sorts était ma petite fille à moi ? s'amusa Tibor en serrant Miette contre lui et en l'embrassant tendrement.

— Oui ! C'est moi que je suis la plus forte ! s'exclama Miette en bandant ses petits muscles.

— Pardon d'avoir douté de toi, ma chérie, s'excusa Artémissia auprès d'Harmonie. Je ne te punirai plus jamais de la sorte !

— Tu ne pouvais pas savoir, maman. Et puis, j'ai quand même fait quelques bêtises !

Harmonie se libéra de l'étreinte de sa maman et fonça dans sa chambre. Elle revint quelques instants plus tard et se posta devant sa petite sœur, toujours dans les bras de son père.

— Tiens, Miette ! Je te rends ton Boubou. Pardon de t'avoir menti.

— C'est pas grave, ma Nini. Grâce à toi, je sais que j'ai des super-pouvoirs ! lui dit-elle en lui faisant un câlin.

Puis Artémissia se retourna sur Norbert en le menaçant du doigt

— Quant à toi, il faut qu'on parle !

— Glup ! dit-il pour toute réponse.

Il se confondit en excuses auprès de la famille et promit que plus jamais il n'oublierait de fermer les

portes. Harmonie demanda à ses parents s'ils étaient prêts à accueillir une dame balai esseulée. Ils acceptèrent sur-le-champ pour le plus grand bonheur de Norbert.

La dame balai et Norbert se retrouvèrent ce soir-là. Elle avait eu vent de toute l'histoire et était impressionnée.

— Tu étais donc tellement troublé que tu as provoqué toutes ces catastrophes ? s'étonna-t-elle.

— Eh oui, ma douce. Mon cœur avait chaviré !

— Maintenant que cette histoire est terminée, j'espère que tu as réappris à fermer les portes !

— Euh…

ÉPILOGUE

TOUT rentra dans l'ordre dans le petit village de Pamprelune.

Mirabelle cessa d'avoir des envies de soupe au potiron, même tard dans la nuit. Par contre, elle gagna un parfum très agréable et une peau très douce, mais cela ne l'empêcha pas de continuer à jouer les petites filles tyranniques dans la cour de récréation, sous les ordres de Rowena.

Cassandre retrouva sa chambre dans le bon sens et demanda même à pouvoir dormir par terre. Son chat n'osait plus y entrer de peur de se retrouver à nouveau la tête en bas.

Le toit de la maison de Rowena fut finalement reconstruit. Comme ses parents eurent à cœur de ne pas faire souffrir l'immense plante grimpante qui avait envahi leur maison, ils la déracinèrent pour aller la replanter plus loin dans la forêt où elle pourrait s'épanouir en toute sérénité. Durant leurs explorations, Miette et Harmonie prendraient le temps de lui rendre visite en souvenir de cette folle aventure.

Dans la maison d'Harmonie et de Miette, Tibor continua à inventer de nouveaux sorts, mais seulement après avoir définitivement scellé le clapet de la chambre de Miette donnant sur le sous-sol, afin que les nuits de sa fille ne soient plus jamais perturbées par des sortilèges.

Harmonie regagna toute la confiance de ses parents et put reprendre une vie normale, faite d'insouciance et de rêveries, d'explorations et de découvertes.

Miette jouait déjà à la petite sorcière avec ses nouveaux pouvoirs, même si ceux-ci ne se déclaraient que la nuit quand elle dormait. Les trois petites chipies n'osaient plus trop l'approcher et elle en retirait une grande fierté.

Norbert, le balai majordome, promit d'être moins distrait à l'avenir et sa dulcinée rejoignit officiellement la famille après avoir fini le ménage dans le manoir.

Youki continua à fureter dans la chambre de sa petite maîtresse grâce à une porte laissée entrouverte, pour attraper l'une de ses peluches et la mâchouiller goulûment.

Il n'y eut plus d'autre incident dans le village de Pamprelune.

Du moins, jusqu'à ce que de petites créatures arrivent au village en provoquant de nouvelles catastrophes.

Mais ceci est une autre histoire…

FIN

lesmalins.ca

↳ Pamprelune

Tibor notre papa
et Artémissia
↗   notre maman ,

Notre papa, il est inventeur de sorts

Youki adore toujours les peluches de Miette

Le méchant balai !

Norbert en cavale !

Ma petite soeur... ...et moi !

Ça c'est ma chambre

Rowena

Cassandre

et Mirabelle

elles sont trop méchantes !

Arthur,
notre boîte
aux lettres

La super chambre
de Miette !

→ J'adore la pluie !

↳ *Les tubapapotes*

Il fait sombre
dans le grenier

Maître Flamélio

⇘ J'aime la nature

J'ai découvert des
arbres amoureux